聚焦三农：农业与农村经济发展系列研究（典藏版）

中国新时期农村劳动力转移研究

黄宁阳　著

科学出版社
北京

内 容 简 介

　　本书通过梳理有关劳动力转移就业理论、人口迁移理论、人力资本理论、区域经济理论、就业结构理论和新制度经济学的理论，构建出农村劳动力非农转移的基本分析框架，综合运用多种研究方法，对新时期中国农村劳动力转移的新特点、新流向、新趋势与新对策进行较为系统的研究。作者归纳了改革开放以来中国农村劳动力转移的五个历史阶段，分析了中国新时期农村劳动力转移出现的新特点，利用 Logit 模型实证研究新时期农村劳动力自身及家庭因素、迁入省市经济人口特征对农村劳动力跨省转移意愿的影响，利用异质生产要素模型对农民工与城镇劳动力关系进行定量研究，利用回归分析方法和面板数据对农村劳动力进城务工对城镇劳动力就业的影响进行实证研究，用马尔科夫链的研究方法和调查数据预测农村劳动力转移稳定期，最后归纳研究结论并根据研究结果提出相关建议与对策。

　　本书适合高等院校相关专业师生阅读，也可供对农业经济学感兴趣的专业研究人员参考。

图书在版编目（CIP）数据

中国新时期农村劳动力转移研究／黄宁阳著. —北京：科学出版社，2012
（2017.3 重印）
　（聚焦三农：农业与农村经济发展系列研究：典藏版）
　ISBN 978-7-03-033539-5

Ⅰ.①中… Ⅱ.①黄… Ⅲ.①农业劳动力 – 劳动力转移 – 研究 – 中国
Ⅳ.①F323.6

中国版本图书馆 CIP 数据核字（2012）第 022790 号

丛书策划：林　剑

责任编辑：林　剑／责任校对：桂伟利
责任印制：钱玉芬／封面设计：王　浩

科 学 出 版 社 出版
北京东黄城根北街 16 号
邮政编码：100717
http://www.sciencep.com

北京京华虎彩彩印有限公司 印刷
科学出版社发行　各地新华书店经销
*
2012 年 2 月第　一　版　　开本：B5（720×1000）
2012 年 2 月第一次印刷　　印张：9 1/2
2017 年 3 月印　　刷　　字数：178 000

定价：78.00 元
（如有印装质量问题，我社负责调换）

总　序

农业是国民经济中最重要的产业部门，其经济管理问题错综复杂。农业经济管理学科肩负着研究农业经济管理发展规律并寻求解决方略的责任和使命，在众多的学科中具有相对独立而特殊的作用和地位。

华中农业大学农业经济管理学科是国家重点学科，挂靠在华中农业大学经济管理学院和土地管理学院。长期以来，学科点坚持以学科建设为龙头，以人才培养为根本，以科学研究和服务于农业经济发展为己任，紧紧围绕农民、农业和农村发展中出现的重点、热点和难点问题开展理论与实践研究；21 世纪以来，先后承担完成国家自然科学基金项目 23 项，国家哲学社会科学基金项目 23 项，产出了一大批优秀的研究成果，获得省部级以上优秀科研成果奖励 35 项，丰富了我国农业经济理论，并为农业和农村经济发展作出了贡献。

近年来，学科点加大了资源整合力度，进一步凝练了学科方向，集中围绕"农业经济理论与政策"、"农产品贸易与营销"、"土地资源与经济"和"农业产业与农村发展"等研究领域开展了系统和深入的研究，尤其是将农业经济理论与农民、农业和农村实际紧密联系，开展跨学科交叉研究。依托挂靠在经济管理学院和土地管理学院的国家现代农业柑橘产业技术体系产业经济功能研究室、国家现代农业油菜产业技术体系产业经济功能研究室、国家现代农业大宗蔬菜产业技术体系产业经济功能研究室和国家现代农业食用菌产业技术体系产业经济功能研究室等四个国家现代农业产业技术体系产业经济功能研究室，形成了较为稳定的产业经济研究团队和研究特色。

为了更好地总结和展示我们在农业经济管理领域的研究成果，出版了这套农业经济管理国家重点学科《农业与农村经济发展系列研究》丛书。丛书当中既包含宏观经济政策分析的研究，也包含产业、企业、市场和区域等微观层面的研究。其中，一部分是国家自然科学基金和国家哲学社会科学基金项目的结题成果，一部分是区域经济或产业经济发展的研究报告，还有一部分是青年学者的理论探索，每一本著作都倾注了作者的心血。

本丛书的出版，一是希望能为本学科的发展奉献一份绵薄之力；二是希望求教于农业经济管理学科同行，以使本学科的研究更加规范；三是对作者辛勤工作的肯定，同时也是对关心和支持本学科发展的各级领导和同行的感谢。

李崇光

2010 年 4 月

序

黄宁阳同志攻读硕士期间，我有幸评阅她的硕士毕业论文，作为她的论文答辩委员会主席，我有幸了解她的治学态度和学术水平，她的论文观点鲜明、说理透彻、资料翔实、书写规范，不但给我留下深刻印象，也获得答辩委员会专家的一致好评。其后，我们一直保持着学术上的联系和探讨。她的博士论文在选题、构思和撰写期间，多与我探讨和推敲。在该书即将由科学出版社出版之际，嘱我为之写一个序。看到她在治学之路上勤奋刻苦，不断进步并成绩卓然，我为之十分欣喜。应其之邀，为《中国新时期农村劳动力转移研究》一书作序，实是一件令我十分高兴也很乐意做的事。

农村劳动力转移是中国新时期解决"三农"问题的重要任务，合理有效地转移农村劳动力，成为加快农业和农村经济发展、增加农民收入的关键环节。据国家统计年鉴数据显示，中国现有农村劳动力总量约为 4.5 亿人，占社会劳动力总量的 74% 左右，并且平均每年以 1300 万人的速度增加，目前仍滞留在农村的劳动力还有 1 亿多人，农村劳动力的持续增加与需求的有限性是中国面临的客观矛盾，这一问题的研究很有现实意义。黄宁阳的博士论文就是以此为题展开的，本书是在她的博士论文基础上结合近年来的科研成果修改而成。她的研究试图以劳动力转移就业理论、人力资本理论、区域经济理论、就业结构理论和新制度经济学为理论指导，分析新时期中国农村劳动力转移的新趋势及其必然性；用聚类分析和 Logit 模型等数理分析方法，用国家统计年鉴和问卷调查的数据，对各个与农村劳动力转移相关因素的假设进行检验，判断各个因子影响程度；用马尔科夫链对中国农村劳动力稳定转移概率和稳定时期进行预测，从而揭示现阶段中国农村劳动力转移趋势，这一研究有助于丰富中国农村劳动力转移研究的理论成果。她在大量收集相关数据资料和问卷调查的基础上，揭示了在相同经济制度背景下影响农村劳动力跨省转移意愿的微观因素，有助于政府完善农村劳动力就业政策；对农村劳动力向东部集聚的原因分析，有助于地方政府制定合理的地区产业政策；阐述了农民工与城镇劳动力的相容性和异质性以及对农村劳动力就业趋于稳定的时间和状态的预测，对统筹城乡劳动力市场及合理配置劳动力资源提供翔实的参考资料。

品读《中国新时期农村劳动力转移研究》一书，感到有三个方面的创新。首先，研究视角具有新意。她的研究视角聚焦于中国新时期农村劳动力非农化异地转移的特点，并从农村劳动力转移意愿、转入地经济发展水平、城镇双重劳动力市场构成关系以及政府的相关政策等方面进行考察，剖析原因，揭示新趋势的客观必然性。其次，研究方法上有创新。她首次将异质生产要素模型和希克斯互补弹性公式应用于中国农民工与城镇劳动力的关系量化分析，计算和比较了城镇劳动力供给弹性与进城农民工的供给弹性；并用面板数据对进城农民工与城镇失业关系进行实证；用马尔科夫链的方法预测中国农村劳动力转移趋于稳定的概率和稳定期，该研究成果对同类问题研究具有借鉴意义。最后，研究结论有新意。她的研究通过实证分析发现：农户家庭年收入对劳动力跨省转移的影响呈现倒 U 型，这一研究结论验证了斯塔克的人口迁移就业理论；近年来，中国农民工的供给弹性有减小趋势，表明在城市文明的熏陶下，农民工的人力资本有所提高；现阶段农民工与城镇劳动力在劳动力市场上主要表现为互补关系，农民工进城并不导致城镇劳动力失业扩大。这些研究结论具有独创性，可供理论研究者和政府决策部门参考。

黄宁阳对农村劳动力转移就业问题的长期深入的思考是十分可贵的。她注意到，劳动力从农村流动到城市后，并不预期会在城市长期停留和居住下来，而是在城市工作和生活一段时间后，再回流到农村；注意到二元体制下制度障碍对农村劳动力流动的影响；注意到中国农村劳动力能否留在城市，从长期来看，住房问题可能是个大问题。我相信她会秉承严谨的治学精神，坚持不懈地努力，这些问题在不久的将来会逐一得以研究，我期待她会有更卓著的研究成果奉献给我们大家。

刘嗣明

2011 年 7 月 28 日

目　录

目　录

导　　论

0.1　研究背景与目标意义

0.1.1　研究背景

（1）农村劳动力转移是中国新时期解决"三农"问题的重要任务

人多地少是中国农业发展中最为突出的矛盾之一，农业内部滞留的劳动力规模远远大于农业所需要的劳动力规模，因此，合理有效地转移农村剩余劳动力，成为加快农业和农村经济发展、增加农民收入的关键环节。21 世纪以来，城乡居民收入差距不断扩大，2000 年城乡居民收入比是 2.79∶1，2007 年为 3.33∶1（韩俊，2009）。城乡居民收入差距扩大成为"三农"问题的主要症结，是造成社会不和谐的主要因素，这种潜在的不稳定内生于传统城乡分割体制及其相应利益格局，必须通过农村劳动力的转移来解决，农村劳动力转移就业有利于增加农民收入，解决城乡收入差距不断扩大的问题。农村劳动力由农业向非农产业转移、由劳动收益低的地区向劳动收益高的地区转移、由农村向城市转移成为一种不可逆转的趋势，甚至已成为人类历史进步的规律之一，成为经济发展中不可缺少的重要因素。农村劳动力转移是经济发展、产业优化升级的客观要求，是破解"三农"问题的关键。当前，受全球金融危机的影响，大批企业破产，农民工就业更为艰难。农民就业问题关系到农民生存和发展的根本，关系到社会和谐稳定的大局。为构建社会主义和谐社会，协调推进工业化、城镇化和农业现代化，促进农村经济社会全面进步，中央连续 7 年出台"一号文件"，提出统筹城乡经济社会发展，建设现代农业。现代农业的标志是农业水利化、机械化和科技与信息化，其目标是提高土地产出率、资源利用率和农业劳动生产率。随着现代农业建设的推进，农业自身能力的增强，将有更多的农村劳动力从农业中转移出来，实现农村劳动力转移是中国新时期解决"三农"问题的关键。

（2）中国新时期农村劳动力转移面临新的矛盾与挑战

目前，农村劳动力转移已经取得很大成果，但转移就业任务仍然十分艰巨。在中国农村劳动力转移实现途径中，乡镇企业就业人数约 1.4 亿人，进城务工劳动力约 1.3 亿人（蔡昉，2008）。据国家统计年鉴数据显示，中国现有农村劳动力总量约为 4.5 亿人，占社会劳动力总量的 74% 左右，并且平均每年以 1300 万人的速度递增，目前滞留在农村的劳动力还有 1 亿多人。中国还没有农村失业统计的完整资料，据抽查数据显示，农村劳动力每年人均劳动时间不超过 100 天，其中约有 40% 的农民处于隐性失业的状态（余显财，2006）。中国《劳动和社会保障事业发展"十一五"规划纲要（2006～2010 年）》中指出，到 2010 年，中国劳动力总量将达到 8.3 亿人，城镇新增劳动力供给 5000 万人，预计新增就业岗位 4000 万个，劳动力供求缺口为 1000 万左右，这意味着中国在相当长的时期内面临着就业压力问题。

农村劳动力转移就业空间受多方面因素制约。以户籍制度、就业制度、社会保障制度、土地制度为代表的制度性制约，在很大程度上阻碍了农村劳动力向非农产业与城镇的转移。2004 年珠江三角洲地区出现"民工荒"，就反映了供需之间的矛盾和就业结构性矛盾。另外，2009 年，在金融危机冲击下，约有 2000 万农民工由于经济不景气失去工作而返乡。劳动力供需对比折射出经济的波动性，转移不彻底的根源在于制度缺陷。大中城市资本密集倾向将持续存在和不断发展，城市本身就业压力大等因素造成大中城市对农村剩余劳动力吸收有限（孔祥成，2002），农村剩余劳动力的持续增加与需求的有限性是中国当前和今后很长一个时期内面临的客观矛盾之一。

0.1.2 研究目标意义

0.1.2.1 研究目标

本书从新时期中国农村劳动力转移的新特点研究出发，分析影响中国农村劳动力转移的因素，并用聚类分析和 Logit 模型等数理分析方法以及国家统计年鉴和问卷调查的数据，对各个与农村劳动力转移相关因素的假设进行检验，判断各个因子影响程度，最后用马尔科夫链对中国农村劳动力稳定转移概率和稳定时期进行预测，用 Logistic 模型对稳定时期中国农村劳动力总量进行预测，从而揭示现阶段中国农村劳动力转移趋势。具体研究目标是：①归纳改革开放以来中国农村劳动力转移演变的历史阶段；②揭示中国新时期农村劳动力转移的特点；③揭示中国新时期农村劳动力转移的流向；④对新时期农村劳动力跨省区转移意愿进行分析和实证研究；⑤对中国农村劳动力向东部集聚的原因进行分析和实证研究；⑥阐述农村劳动力与城镇劳动力的关系；⑦对农村劳动力进城对城镇劳动力就业的影响进行分析和实证研究；⑧用马尔科夫链对中国农村劳动力转移就业的稳定期进行预测；⑨用 Logistic 模型对中国农村劳动力转移就业的总量进行预测；⑩归纳全书的主要观点，根据研究结论，提出对策建议与进一步研究的方向。

0.1.2.2 研究意义

（1）理论意义

本书试图以劳动力转移就业理论、人力资本理论、区域经济理论、就业结构理论和新制度经济学为理论指导，分析新时期中国农村劳动力转移的新趋势及其必然性，揭示面临的新问题及对策思路，这一研究有助于丰富中国农村劳动力转移研究的理论成果。

（2）实践意义

本书在大量收集相关数据资料和问卷调查的基础上，揭示了在相同经济制度背景下影响农村劳动力跨省转移意愿的微观因素，有助于政府完善农村劳动力就业政策；对农村劳动力向东部集聚的原因分析，有助于地方政府制定合理的地区产业政策；对农民工与城镇劳动力的相容性和异质性的阐述以及对农村劳动力就业趋于稳定的时间和状态的预测，为统筹城乡劳动力市场及合理配置劳动力资源提供翔实的参考资料。

0.2　国内外相关研究概况

0.2.1　国外相关研究概况

0.2.1.1　关于发展中国家农村劳动力流动模式的研究

国外对农村劳动力转移流动模式的研究，已有不少经典成果，最具有代表性的是刘易斯的二元经济理论，他认为农业剩余劳动力向城市转移有其必然性；传统农业部门由于基本上没有资本投入，普遍存在着劳动力过剩；工业通过新资本的增加和生产规模的扩大，不断吸收农业剩余劳动力，从而获得更多的利益，工农收入差异导致农村劳动力源源不断地流入城市（刘易斯，1989）。

Todaro（1969）认为，农村剩余劳动力转移的因素和基本动力是城乡实际收入的差别、成本收益比值以及心理因素；预期城乡工资差别和城乡就业率起着至关重要的作用。发展中国家实际工资差距大是劳动力转移的重要动力，只要在城市中预期收入的现值比在农村大，做出转移的决定就是合理的。发展中国家不仅农村存在失业或就业不足，而且城市也存在失业或就业不足（Todaro，1970）。扩大农村中的就业机会，以缩小城乡之间的不平衡，增加城市就业机会无助于解决城市就业问题。Harris 和 Todaro（1970）把农村与城市部门分开，进而分析迁移对农村和城市的产量、收入与福利的影响。他认为，较高的城市工资会导致较多的城市失业。如果农村收入水平不能提高到一定程度，城市部门中充分就业的努力就注定要失败，因为创造额外的就业机会将导致更多农民流入城市部门。最低工资的上升和其他现象可以导致资本对劳动力的替代，并导致就业增长比产出增长低。Wickramasekera（2000）从国际劳动市场调查发现，一些国家劳动力流动模式已由传统的劳动力输出国转变成劳动力接收国，如韩国和泰国。从国际劳动力的转移角度可以总结出，最初劳动力转移都是一些技能低的工人，男性在建筑业和制造业等领域从事高强度体力劳动，女性在家庭服务业等领域从事体力劳动。与技术工人和享受高薪的工人相比，那些技能低的劳动力面临很多问题，如工资低、工作时间长等。中国农村改革使农村劳动力市场在过去 20 多年发生了巨大变化，农村的发展必须依靠推动大部分农村人口向城市转移，才能实现农业现代化和工业化的转变。

0.2.1.2 关于发展中国家农村劳动力流动的原因研究

乔根森于 1975 年提出，农业人口向工业部门转移的基础是农业剩余，农业部门不存在边际生产率等于零和低于实际工资的剩余劳动，即使在一个经济陷于低水平的均衡状态中，劳动力的增加，也会带来农业产出的增加。他认为人们对农产品（主要是粮食）的需求是有生理限度的，对工业品的需求是无止境的，当农产品生产已能满足人口需求时，农业的发展就失去需求拉动，农村劳动力和人口就转向需求旺盛的工业部门。农业劳动力向非农业部门转移的根本原因在于消费结构的变化，其转移是消费需求拉动的结果（Jorgenson，1967）。Stark（1991）认为，迁移的动机不仅来自城乡两地收入差距，也来自个人或家庭因素。他将迁移视为一个有内在联系的群体（家庭或家族）的决策，迁移的目的，一方面增加家庭收入，另一方面降低市场不完备而造成的风险。Stark 和 Bloom（1985）指出，家庭成员在地理位置上的分散是解决收入风险的一种战略选择。发展中国家农业生产容易受自然灾害和农产品价格波动等影响，从家庭福利意义来讲，家庭劳动力的重新配置，是规避经营风险的一种替代办法。Davanzo（1978）认为，迁移被看做对人力资本的一种家庭投资，是家庭净收益而不是个人净收益，是家庭迁移的动力，如果家庭收益超过费用就产生迁移。Standing（1981）认为，吸引农村劳动力迁移到城市的因素除了城乡预期收益差异外，还有城市的公共设施、医疗保障体系、良好的教育体系等。Baker认为农户家庭在农业和非农业劳动的边际净收入应该相等，进而从微观的角度解释劳动力人口的迁移现象。通过对农户的调查，Econ（2002）指出转移已经成为一种从事非农业活动的行为，占主导地位的是年轻而有技能的工人。一方面是劳动力输出地的推力，转移劳动力能够缓解高失业率的局面，并且外出打工寄回的收入往往比在当地务农收入高，能够促进当地经济的发展。Stalker（2000）认为经济的发展、通信的发达和信息资源的共享促进了城乡劳动力之间的流动。另一方面是拉力作用，Griffin和Boyce（1998）认为阻碍劳动力进入迁入地会带来经济损失，劳动力在迁入地的贡献很大，如刺激当地的小企业的建立、加快创新步伐、促进经济发展，所以当地对于农民工的需求也是劳动力转移的原因之一。

0.2.1.3 关于发展中国家农村劳动力流动影响因素的研究

美国学者埃内斯特·乔治·雷文斯坦于1885年对人口的迁移进行了具有开创意义的研究。他的著作《移民的规律》（*The Laws Of Migration*）开了对移民及其规律进行一般性研究的先河。他认为人口流动是"推－拉"和中间各因素综合作用的结果，受歧视、受压迫、经济负担、气候不佳、生活条件差等都是促使人口迁移的原因，其中经济负担是主要原因。在他的基础上，学者们提出"推－拉"理论（push-pull theory）。N. Herle指出，迁移并非完全盲目无序流动，而是遵循一定规律，迁移是由一系列力量引起的，这些力量包括使一个人离开一个地方的推力和吸引一个人到另一个地方的拉力。Bogue（1956）概括出12个方面的推力因素和6个方面的拉力因素，认为产生推力的因素有自然资源枯竭、农业生产成本增加、农村劳动力过剩导致的失业和就业不足、较低的经济收入水平等；在迁出地也存在拉力因素，如家人团聚、熟悉的环境、长期形成的社交网络等；比较起来，迁出地的推力比拉力大。在迁入地，存在拉力，如较多的就业机会、较高的工资收入、较舒适的生活水平、较多的受教育机会、较完善的文化设施和交通条件、较宜人的气候环境等；同时迁入地也存在推力，如家庭分离、陌生的环境、激烈的竞争等；综合起来，迁入地的拉力比推力更大。Ranis和Fei（1961）认为，人口迁出地存在着推力，如较低的经济收入水平和不良的生存环境等。Lee（1966）在《人口迁移理论》一书中系统地提出了人口迁移四因素。美国Petersen（1975）把迁移类型分为原始型、强迫型、推动型、自由型和大规模型 5 种。Marat（2009）认为劳动力转移是一个复杂的问题，他从经济因素和非经济因素两个角度进行分析，认为流动的原因有寻找更高的收入，输出地的贫困和高失业率；亲朋好友和社会关系网络的诱惑，对外面世界的好奇心，冒险、探索的心理。

0.2.1.4 关于发展中国家农村劳动力流动研究的进展

Koo（1997）以中国为例说明农业在发展中国家起着非常重要的作用，充足的国内粮食供应是政局稳定的基础，如果过分强调工业部门的发展，或者人口增长超过了粮食生产的增长，就会引起粮食短缺。Ishikawa（1978）认为在南亚和东南亚国家创造密集耕作的就业机会取决于制度和组织方面的因素，农业是提供就业的可行选择，但其潜力还没有被发掘出来。Salehi-Isfahani（1993）从农业集约化程度的角度研究农业劳动力的迁移，认为政策可以控制农业集约化的步伐，从而控制农村地区劳动力的吸收程度。Vogel（1994）提出农业需求主导的工业化战略，强调不断提高的农业生产率和农业投资的作用，农业生产率的提高是通过技术创新来实现的。Shrestha（1988）从劳动力结构的角度对发展中国家的劳动力流动进行了探讨，认为发展中国家的政府应该采取积极有效的劳动力转移政策，试图为发展中国家提供一种最优的劳动力转移结构。Tuan 和 Somwaru（2000）等依据中国第一次农业普查的数据，考察中国劳动力结构，分析农村劳动力流动和人口特征等；将调查的对象分为三种类型：完全从事农业、完全从事非农业、既从事农业又从事非农业的兼业状态；采用广义多级 Logit 技术，对农村移民进行预测，指出土地面积是最主要的影响因素，其次是教育年限和年龄，农村劳动力将以全职或者兼职方式逐步转移到非农产业中。Kart（1997）通过对中国国民生产总值中农业份额的研究，发现与其他同等收入水平的国家相比，中国农村劳动力从事农业人数很高，主要是由于政策和体制的限制；指出政府应该放宽政策，取消户籍制度，引导农村劳动力向工业和服务产业转移。Deshingkar 和 Farrington（2006）着眼于在不同的背景下，诸如宏观经济、政策、农业生态和基础设施等，研究农村劳动力市场问题及其如何迁移变化。他指出人力资源和城乡联系的重要性，主张向农村劳动力提供资金、技术、信息支持。

Marat（2009）认为发展中国家劳动力迁移受阻是由于输出地和接收地双方的政府未对劳动力流动的问题进行合作，在有关农民工利益问题上，缺乏彼此的交流。接收地地方政府保护主义严重，忽略了移民的福利和环境转换带来的复杂的生活问题，而输出地缺乏对农民工流动的鼓励和支持政策，社会保障不力，没有为农民工解决后顾之忧，劳动力问题逐渐上升到政治问题。Jordan

（2009）认为农民工进城对城市劳动力就业带来压力影响这一问题还有待研究，虽然农村和城市的某些政府机构在政策上可能会限制劳动力的流动，但由于农民工对外出就业的利益预期仍很积极，所以劳动力转移依然发生。Schoenberger 等（2000）指出土地使用权的安排和强制性的市场配额、较高的向外转移成本、打击非农业市场的参与都是转移过程中的阻碍。Johnson 指出一些长期存在的制度限制了劳动力的转移，比如户籍制度、缺失的社会保障和教育权益。Griffin（1998）指出，移民不但不会造成失业，反而会提高当地的就业率，为城市创造就业机会。他认为劳动力进城一般都是进入工资低的职位，这些职位是当地人不愿从事的职业，当地人通常不会和他们直接竞争；同时也为企业降低了生产成本，刺激当地经济的增长，大大降低了失业率。Maurer - Fazio（1999）指出教育对于增加非农就业收入的意义，加大对劳动力的人力资本投资，将会使劳动力市场运作更加顺畅。

0.2.2 国内相关研究概况

在中国，农村劳动力转移研究一直是学术界研究的热点。成果比较丰富，就其研究内容而言，大致可以归纳为以下四个方面。

0.2.2.1 农村劳动力转移对经济增长和农户收入的影响研究

国内学者们一致认为，农村劳动力转移引起的资源再配置效应是改革开放以来中国经济持续增长的重要原因之一，市场化制度变革引起的部门之间大规模的资源重新配置导致了农村工业乃至全国经济的持续增长。林毅夫和李周（1996）认为劳动密集和资本密集产业之间的置换促进了全国经济的增长。胡永泰（1998）的分析表明，1978 年以来中国劳动力的重新配置对全要素生产率的贡献率为 37% ~ 54%，从而对中国经济增长有支持性贡献。在 1985 ~ 1993 年 9.7% 的经济增长率中，可以分解出 1.2% 的劳动力再配置。潘文卿（1999）的实证分析表明，1979 ~ 1999 年劳动力结构变化对经济增长的贡献是 13.8%。赵耀辉（1997）利用农业部农业研究中心与国家统计局于 1996 年年初在四川省的调查数据，使用一个家庭收入模型，得出每增加一个外出劳动力可以使家庭纯劳动收入增加 55%，每增加一个在本地非农产业就业的劳动力可以使家庭纯劳动收入增加 19%，而每增加一个本地农业劳动力只能使家庭纯劳动收入增加 5% 的结论。李实（1999）借助中国社会科学院经济研究所 1995 年居民收入抽样调查农户数据，采用收入函数的估计方法，得出外出劳动力不仅能够获得更高的劳动报酬率，而且对家庭中其他劳动力劳动报酬率的提高也产生积极的影响。

0.2.2.2　农村劳动力转移对城乡社会发展的影响研究

邓一鸣（1989）、龚玉泉（2002）和陈朔（2005）认为，不仅农村劳动力转移为城市发展提供丰富的劳动力，而且农村非农化将直接导致城市发展的加速。刘社建（2005）、刘继兵（2005）等认为农村劳动力向城镇转移，会引起城市交通拥挤、城市就业压力增大等"城市病"。但也有学者持相反观点，认为交通运输一直是制约国民经济发展的瓶颈。有学者认为农村劳动力转移会加剧城市失业及农民工违法犯罪现象的发生。也有学者持相反观点，如李实（1997）认为在城乡劳动者的就业竞争中，农民工所产生的就业替代率仅为 0.1% 左右。至于治安问题，蔡昉（1997）从对北京、苏州、无锡等地的调查中得出，90% 的外出农民工是守法的。王午鼎（1994）的研究表明，违纪犯法的民工只占进城务工经商者极小的比重。以上海市为例，1994 年外来作案人口达 12 349 人，占全部作案人口的 57.3%，相对于 280 余万流动人口而言，犯罪人员比重仅为 0.4%。总之，在对待农村劳动力涌入城市的问题上，大多数学者认为这些问题暴露出原有体制对流动人口管理不适应的弊端。

李实（1997）认为农村劳动力转移能够提高农业生产率、转换农业结构、实现农业规模经营。高迎斌（2000）认为农村劳动力转移有利于生产要素的优化配置。张呈琮（2005）认为农村剩余劳动力转移使劳动者的价值观念、思维习惯、生活方式等都发生变化，劳动者素质得到提高。部分学者持反对态度，张思军和吴仁明（2002）认为农村劳动力转移使农地荒芜或农民耕种土地的积极性下降，不利于农业的可持续发展。农业人才流失严重，大约有 71.8% 的流出劳动力年龄在 35 岁以下，而整个农村劳动力中 35 岁以下的仅占到 51.3%，农业人才的流失加剧了农业劳动力老龄化、妇女化的发展趋势，使农业劳动力的整体素质降低，削弱了农业生产后劲，影响中国农业的现代化进程。

0.2.2.3　农村劳动力转移方式的研究

以张培刚为代表的学者主张就地转移，依靠农村非农产业的发展吸纳农业劳动力。陈吉元和胡必亮（1994）认为乡镇企业发展使中国成为发展中国家通过发展农村非农产业吸纳劳动力最为成功的国家。伴随着乡镇企业的发展，一部分农村人口就地转化为城市人口，这使部分由于城乡迁移政策障碍而未彻底实现地域转移的农村人口在所从事的职业、生产方式和居民点形态上具有相当的小城镇特性。以林毅夫为代表的学者主张异地转移，即"离土又离乡、进厂也进城"，主张把农村劳动力转移与城镇化协调起来，鼓励剩余劳动力向城镇转移。刘怀廉（2005）认为在工业化和城镇化过程中，工业与第三产业的集聚和发展，产生了对劳动力的需求。农村劳动力进入城市，符合工业化和城市化发展的一般规律。一些学者主张综合应用以上两种途径，即"乡镇消化、城市导流、国内移民、国际输出、协调配合、共同吸纳"，通过发展多种经营，兴办乡镇企业，组织劳务输出，向大中城市、小城镇转移农村劳动力。张红宇（2002）认为应坚持城乡统筹，打破城乡分割的二元格局，加快推进农村城镇化进程，加快农村劳动力向非农产业和城镇转移，增加农民的非农就业机会。李剑阁和韩俊（2004）认为应改革中小城镇户籍制度，消除农民进城就业的困难，从根本上解决城乡居民两种身份和就业待遇不平等的问题。

0.2.2.4 农村劳动力转移的影响因素研究

第一，经济因素的影响。高国力（1995）把预期收入具体化为区域经济收入差距，认为经济发展水平越高，劳动力转移就越活跃，其转移水平也就越高。陈吉元（1993）提出中国的三元经济理论，把城镇非正规就业部门引入中国劳动力转移分析的框架中，很好地解释了劳动力转移的动因与障碍。杜鹰（1997）认为缺乏农业资源禀赋和农业收入低下是农村劳动力转移的主要原因。蔡昉（2001）得出相对收入差距是影响农村劳动力转移决策的重要因素的结论。朱农（2005）通过 Logit 模型，得出城镇人均 GDP 越高，吸引劳动力的拉力越大，农村人均 GDP 越低，劳动力转移的意愿越强的结论。白云涛和甘小文（2005）用动态博弈研究，得出转移的第一动因是收入。胡景兆（2008）指出中国农村外出劳动力的规模与宏观经济紧密相关。他指出农民向城镇和非农产业转移的一个重要特征是具有周期性。农业劳动力转移率（用农业劳动力绝对减少的数量和总劳动力数量对比）呈现 10 年左右的波动周期，并且和 GDP 增长率的波动有明显关联。

第二，劳动力自身因素的影响。朱农（2005）发现教育仅仅对于男性的转移决策有正的影响，对于婚姻状况有显著的负影响。赵耀辉（1997）认为正规教育对劳动力转移决策的影响很小，但对劳动力从农业转移到非农产业有显著的影响，年龄对转移决策有正的影响，女性的转移概率比男性低7%。在面对市场经济风险上，程名望和刘晓峰（2005）认为男性敢于挑战风险的能力和勇气明显高于女性，经济发展水平不同的地区，农民工在进城动因上也存在差异。蒋乃华和封进（2002）对江苏的农村劳动力转移意愿进行探讨，认为处于不同经济发展阶段和地区的农户进城意愿不同，影响他们进城意愿的主要因素也存在差别，提出不同地区城市化应有不同侧重。吴秀敏等（2005）对成都市农户迁移意愿进行实证研究，对农民自身因素和影响农民迁移的一些因素进行定量分析，结果表明，农户的迁移意愿受到个人特征及家庭因素的影响。

第三，宏观政策的影响。蔡昉（2001）认为户籍制度安排限制了潜在的转移行为，虽然正在进行的改革放松了对劳动力转移的控制，但制度对劳动力自由流动的障碍依然存在。李培林（2003）的研究也表明了制度因素对中国农村劳动力转移有较大的影响，对户籍制度等的改进，将促使农民工顺畅地进城务工。进城农民面临的很多歧视性制度并未消除，进城农民不能以平等的经济主体身份参与市场竞争。程名望和刘晓峰（2005）认为城镇拉力已经成为中国农村劳动力转移的根本动因，应该在户口、子女入学、就业机会等方面消除歧视，建立为农民工提供医疗、失业保险等的制度和政策。胡景北（2008）认为中国经济政策的一个重大挑战就是如何在促进农民转移的同时又减小农民转移的波动。

第四，多重因素影响。彭勋（1992）分析了影响人口迁移的自然环境、经济环境、文化环境和政治环境，而且分析了影响人口迁移的个人心理和社会心理因素。社会生产方式决定人口迁移是有层次的，决定人们的生存环境、个人个性的形成，这是第一个层次的决定关系，生存环境、个人性格是影响人口迁移的第二个层次的问题，环境因素和个人因素是社会生产方式决定人口迁移的中介因素。袁培（2009）认为影响农村劳动力转移的因素有内在因素和外在因素。农村劳动力会权衡利弊，对转移行为做出选择，在整个过程中，内因和外因往往相结合，依据不同的劳动者、不同的环境、不同的时期，其选择结果也会有差异。中国农村劳动力的转移主要是劳动者自身需要提高收入水平这一内因和国内产业结构调整及稳定内需的政策这一外因共同选择的结果。

0.2.3 国内外相关研究的简要评述

国外学者的研究成果，对研究中国农村劳动力非农化转移具有重要的参考借鉴作用。如刘易斯提出，工业发展和农村剩余劳动力转移紧密联系，工业增长需要农村剩余劳动力的投入，促进了农村剩余劳动力的进一步转移。托达罗模型提出发展中国家应通过小规模劳动密集型产业的发展来解决农村剩余劳动力问题。乔根森等学者认为农业劳动生产率的提高是剩余劳动力转移的前提，强调了技术进步在推动经济发展中的作用以及提高农业劳动生产率的重要性，只有提高农业劳动生产率，才有可能使一部分剩余农产品转移出来供给劳动力消费，并为农业人口流向工业部门提供充要条件。但他们各自所处的时代背景不同，研究的着眼点不同，其结论和政策主张不同，并非完全符合中国的实际，不可避免地有一定的局限性。

国内学者在应用西方人口转移理论的同时，注意到中国特定的历史背景，从经济学、社会学、人口学多视角、全方位地考察了中国农村劳动力流动转移现象，从描述流动劳动力的经济、社会、人口和地理分布特征到分析劳动力流动的原因、意义、效果和数量估计，再到二元劳动力市场形成、城市歧视性制度障碍及以破除制度约束为中心的户籍制度改革等进行了广泛研究。许多学者开始采用定量分析方法和国际上比较经典的劳动力迁移理论及最新的研究成果，结合调查数据和实验活动，对所关注的问题或假设进行证明，将研究引向深入。这些研究丰富了人们对中国农村劳动力流动转移现象的认识，推动了政策的制定。目前中国经济社会发展进入一个新的历史阶段，农村劳动力转移出现一些新的特点、流向和趋势，本书试图对中国新时期农村劳动力转移的新特点、跨省转移与个体意愿、东部集聚与吸引因素、农民工与城镇劳动力的关系、农民工进城对城镇劳动力就业的影响以及农村劳动力转移趋于稳定的时间等进行研究。

0.3　研究内容及研究思路

0.3.1　研究内容

本书以户籍在农村而且具有劳动能力的农村劳动力为考察对象，以实现其非农化转移就业为考察目标，主要研究以下几个方面的问题。

1）农村劳动力转移的历程与政策回顾。农村劳动力转移的历程与政策息息相关，根据农村劳动力转移规模与政策，本书将改革开放以来中国农村劳动力转移演变分5个历史阶段，分别是限制的流动阶段、允许流动阶段、控制盲目流动阶段、规范流动阶段与公平流动阶段。

2）中国新时期农村劳动力转移的特点分析。主要从农村劳动力转移的供给变化、农村劳动力转移的需求变化、农村劳动力转移的去向变化和农村劳动力转移的方式变化几个方面展开分析。

3）农村劳动力跨省转移与个体意愿分析。新时期农村劳动力跨省转移增多，本书在新经济迁移理论和人力资本理论框架下，分析农村劳动力自身及家庭因素对其跨省转移意愿的影响及其影响程度，并利用 6 省（直辖市）农户调查数据和 Logit 模型进行实证研究。

4）农村劳动力向东部省市集聚与吸引因素分析。在增长极理论的框架下，分析东部省份的经济和人口特征对农村人口的跨省转移行为的影响，利用 Logit 模型和《中国统计年鉴》2005 年的有关数据进行实证分析，论证中国农村劳动力转移向东部地区集聚的吸引因素。

5）农村劳动力与城镇劳动力关系研究。对农民工与城镇劳动力关系进行研究，从农村劳动力与城镇劳动力的教育程度、收入水平与消费支出的角度对两者禀赋差别进行研究，利用异质生产要素模型和希克斯互补弹性公式，计算当前农村劳动力与城镇劳动力之间关系。

6）农村劳动力进城对城镇劳动力就业的影响分析。以劳动力转移流动理论和双重劳动力市场理论为分析框架，通过改进的异质生产要素模型，利用希克斯互补弹性公式，计算出农民工与城镇劳动力之间关系主要为互补关系。通过分析城乡劳动力资源禀赋差异与城镇双重劳动力市场构成，揭示农村劳动力进城务工对城镇两种劳动力市场的影响，并对 2004～2007 年的面板数据进行回归分析，论证农村劳动力进城务工对城镇就业的积极影响。

7）中国农村劳动力转移稳定期的预测。通过构建农村劳动力在家务农、在家附近打工和外出打工三种就业状态的数学模型，用问卷调查数据和马尔科夫链原理对未来中国农村劳动力转移就业的稳定期的概率、稳定期的时间进行预测。利用 Logistic 模型和《中国统计年鉴》1978～2007 年中国乡村就业人口的数据，对未来中国农村劳动力规模进行预测。

0.3.2　研究思路

全书的主要内容及逻辑思路见图 0-1。

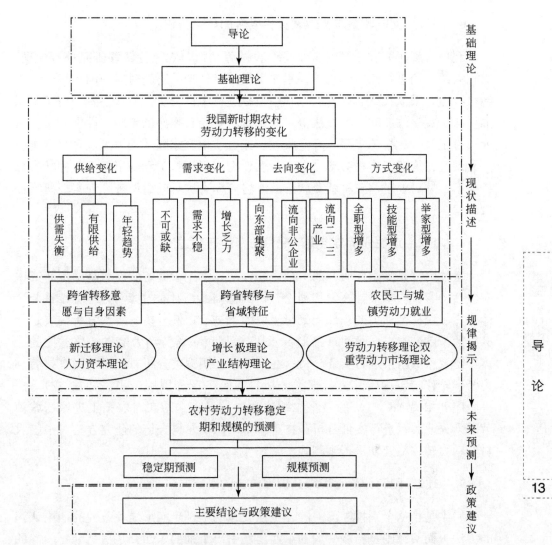

图 0-1　研究的技术路线图

0.4　研究方法及数据来源

0.4.1　研究方法

本书坚持定性分析与定量分析相结合，规范分析与实证分析相结合，静态分析与动态分析相结合的原则，主要采用以下研究方法。

0.4.1.1 文献收集与实地调查相结合的研究方法

利用文献研究方法对国内外关于农村劳动力非农产业转移研究进行梳理，对相关的理论进行归纳和总结，建立本书分析框架。对新时期中国农村劳动力转移特点，采取文献研究方法，利用文献进行定性分析。调查主要采用了随机抽样法、观察法、问卷调查法等。对影响跨省转移意愿的年龄、性别、文化程度、打工收入、打工年限、家庭收入、家庭耕地及家庭劳动力人数等因素进行问卷调查，构建了农村劳动力在家务农、在家附近打工和外出打工三种状态分析模型，并对处于这三种就业状态的农村劳动力进行问卷调查，为实证研究提供数据。

0.4.1.2 定性分析与定量研究相结合的研究方法

定性研究是探索性研究的一种主要方法，常用于制定假设或是确定研究中应包括的变量。本书在文献和理论分析的基础上，对农村劳动力跨省转移与个体意愿、农村劳动力向东部集聚与吸引因素进行定性分析，定性分析构成定量分析的基础。本书在第 4 章用 Logit 回归模型对农村劳动力跨省转移意愿的个体特征及家庭因素进行实证分析；在第 5 章利用聚类分析方法对中国农村劳动力跨省转移与省内转移进行聚类分析；在第 7 章分别用最小二乘法（OLS）、一阶序列相关 AR（1）的最小二乘法和加权最小二乘法对农民工进城与城镇劳动力失业关系进行实证分析；在第 8 章利用马尔科夫链的研究方法对中国农村劳动力转移稳定期进行预测等。

0.4.1.3 归纳分析与演绎分析相结合的研究方法

归纳是指从个别推导出一般，是从大量的个别事实形成一般性的理论认识的方法，而演绎则是指从一般的东西出发引出个别的东西，是从某个一般性的理论认识引出个别性的结论的方法。本书利用归纳分析方法回顾改革开放以来中国农村劳动力转移历程，对 2000 年以来中国农村劳动力转移的变化特点、流向变化与趋势进行研究，通过归纳分析得出相应的研究结论；利用演绎分析方法，说明研究结论的普遍指导意义，根据研究结论提出政策建议。

0.4.2 数据来源

1）历年统计年鉴数据。研究数据主要来自历年的《中国统计年鉴》、《中国农村统计年鉴》、《中国劳动统计年鉴》、《中国人口统计年鉴》及《中国人口和就业统计年鉴》等。

2）问卷调查数据。笔者于 2008 年暑假和 2009 年寒假，分别对跨省转移和省内转移的农村劳动力个人素质及家庭状况以及 2007 年和 2008 年在家务农、在家附近打工和外出打工的农村劳动力三种就业状态进行调查，作为部分章节实证分析的数据来源。

3）其他学者的研究成果。本书参考了大量相关文献资料和其他学者的研究成果，其数据可作为本书的数据来源。

0.5　创新点与局限性

0.5.1　创新点

1）研究视角具有新意。本书的研究视角聚焦于中国新时期农村劳动力非农化异地转移的特点，并从农村劳动力转移与个体意愿、东部集聚与吸引因素、农村劳动力与城镇劳动力的关系、城镇双重劳动力市场构成关系以及政府的相关政策等方面进行考察，剖析原因，揭示新趋势的客观必然性。这一研究视角在同类领域研究中尚不多见，具有一定新意。

2）研究方法上有创新。本书首次将异质生产要素模型和希克斯互补弹性公式应用于中国农民工与城镇劳动力关系的量化分析，计算和比较了城镇劳动力供给弹性与进城农民工的供给弹性；并用面板数据对进城农民工与城镇失业关系进行实证；用马尔科夫链的方法预测中国农村劳动力转移趋于稳定的概率和稳定期，该研究成果对同类问题研究具有一定借鉴意义。

3）研究结论有新意。本书通过实证分析发现，农户家庭年收入对劳动力跨省转移的影响呈现倒 U 形，这一研究结论验证了斯塔克的人口迁移就业理论。近年来，中国农民工的供给弹性有减小趋势，表明在城市文明的熏陶下，农民工的人力资本有所提高；现阶段农民工与城镇劳动力在劳动力市场上主要表现为互补关系，农民工进城并不导致城镇劳动力失业扩大。这些研究结论具有独创性，可供理论研究者和政府决策部门参考。

0.5.2　研究的不足

1）虽然考虑到样本的代表性，但受到资金和精力等的限制，农村跨省转移意愿的问卷调查的样本量偏小，对分析结论有一定的影响；虽然通过调查取得第一手数据，但在深入访谈方面做得不够，不能排除研究结论的主观臆断成分；进行预测所使用的乡村就业人数的数据，由于统计口径不同，1990年前后数据存在差异，影响到数据的可比性。这些问题，有待笔者在今后的学习和研究中加以补充和完善。

2）受到研究方法的局限。本书在利用相关数学统计模型对农村劳动力转移诸因素影响进行分析时，尚未能对各因素交互作用的影响作实证理论分析，这也需要笔者今后作更深入的研究。

第1章
农村劳动力转移的基础理论

1.1 农村劳动力转移流动的古典理论

1.1.1 刘易斯二元经济理论

研究农业剩余劳动力转移最为系统、最富有应用价值的理论是美国发展经济学家刘易斯的"二元经济结构",1954 年他在题为《无限劳动供给下的经济发展》一文中提出关于劳动力流动的理论模型(刘易斯,1989)。其基本内容包括以下几点。

1)发展中国家经济由两类性质不同的部门构成,一个是以农业为代表的传统部门,一个是以工业为代表的现代部门,即"二元经济结构"。

2)传统农业部门的最大特点是剩余劳动力的存在。在二元经济结构中,传统部门的缓慢增长和现代部门的快速增长形成了强烈的反差。传统农业部门基本上没有资本投入,土地十分有限,而人口却迅速增长,劳动力十分丰富,这部分劳动力的边际产量很低,甚至接近零或负数。

3)工农业之间收入水平的差距明显,农业剩余劳动力向工业部门流动是经济发展的必然结果和趋势。农业劳动者只能得到较低的、仅能维持生计的报酬,而工业劳动者则按照分配原则取得收入,其收入水平大大超过农业劳动者。只要农业剩余劳动力继续存在且没有制度或政策障碍,他们就将由农村源源不断地流入城市,其劳动力供给具有完全弹性,即无限劳动供给,城市现代工业部门在现有的固定工资水平上能够得到它需要的任何数量的劳动力。

4)经济的发展有赖于现代工业部门的扩张,工业通过增加新的资本和扩大生产规模,不断吸收农业剩余劳动力,从而获得更多的利益。

在上述循环往复的过程中,城市工业部门不断扩大生产,农业剩余劳动力不断向工业部门和城市转移,从而实现工业化和城市化。在传统农业部门中,伴随着农业剩余劳动力的不断流出,农业劳动边际生产率逐步提高,农业劳动报酬的水平逐步与工业工资水平接近，农民生活水平逐步提高，农业部门逐步发展，传统的农业部门得到改造，二元经济结构将会逐步缩小直至消失。

刘易斯二元经济理论将现代部门作为经济发展的主导力量，传统部门的作用主要体现在为不断发展的工业部门提供丰富而廉价的劳动力资源，传统部门剩余劳动力不断流向现代部门是经济发展的核心环节。资本积累是现代部门扩张的前提，是经济发展的唯一动力。刘易斯从动态角度描述了二元经济结构转型的机理，模型论证了劳动力转移、资本积累、现代部门扩张和经济发展的有机联系，这种对复杂经济发展现象的简单概括不仅与发达国家曾经走过的发展道路大致吻合，而且与发展中国家的现实也比较接近，为发展中国家提供了一条通过城市现代工业部门的扩张吸收传统农业的剩余劳动力的途径，对发展中国家产业结构转换，实现整个经济走新型工业化的道路具有重大战略意义。

刘易斯二元经济理论也存在一些不足：其一是模型忽视了农业的发展。按照该模型，只要工业部门工资水平高于传统的农业部门，传统农业部门的剩余劳动力就会源源不断流入现代工业部门，实现工业部门的扩张，而不管农业是否发展，这与现实情况不符合，因为农业的落后迟早会或多或少地影响到工业的扩张与发展。其二是模型忽视了现代工业部门的就业机会。这会影响农业剩余劳动力的转移。模型假定农业剩余劳动力的流入和城市工业部门就业机会的增加在速度上是与工业部门资本积累的扩大成正比，现代工业部门的劳动与资本比例始终不变，资本积累越多，工业部门扩大越快，新的就业机会就越多，从而农业剩余劳动力就可以无阻力地流入工业部门。实际上，工业部门的扩张常常倾向于采用资本密集型技术，使就业机会增加的速度落后于资本积累的速度，这样一部分流入城市的农业剩余劳动力在工业部门便没有得到就业岗位。其三是模型忽视了城市失业问题。模型假定任何一个愿意到城市工作的农村劳动力都能够在城市现代工业部门找到工作，但这一假定与发展中国家的实际情况相悖。在发展中国家城市也存在着大量的失业人口，有些发展中国家政府为了确保城市就业，在不同时期采取限制农村劳动力向城市转移的政策。最后是模型假定现代工业部门的工资水平不变也与实际情况不符合，因为随着现代工业部门的扩张，资本的积累，其边际劳动产出必然会增加，城市工资水平也会上升。

1.1.2 托达罗劳动力流动就业理论

美国经济学家托达罗从发展中国家农村人口流入城市与城市失业同步增长的矛盾出发，创立了著名的托达罗人口流动模型（托达罗，1999）。其内容包括以下几点。

1）农业剩余劳动力向城市迁移的因素和基本动力是城乡实际收入的差别、成本收益比值以及心理因素。预期城乡工资差别和城市就业率在农业剩余劳动力转移中起着至关重要的作用。城乡预期收入差距越大，流入城市的人口就越多。发展中国家的实际状况是，不仅农村存在着失业或就业不足，城市也存在着失业或就业不足。农村劳动力向城市转移的决策，是根据预期收入最大化目标做出的，这种决策依据包括两个方面：第一是城乡实际工资差距，这种差距是十分普遍的，而且在发展中国家悬殊，这是农村向城市非农产业转移的重要动力；第二是农村劳动力在城市能够找到就业岗位的概率，引进这一概率变量是托达罗模型一个重要的贡献，可以解释农民为什么在城市存在高失业率的情况下还会做出移民的选择。移民决策是根据预期的城乡收入差距而不是根据实际城乡收入差距做出的，只要在城市中预期收入的现值比在农村大，做出转移的决定就是合理的。

2）转移决策时依赖于预期的而不是现实的城市与农村的实际工资差额。城乡预期收入扩大是发展中国家人口迁移规模猛增的主要原因，这种预期收入差距是由实际的城乡收入差距与城市获得就业机会的可能性两个变量相互作用决定的。他在二元经济结构中引入就业概率的概念，用以表示在城市获得就业机会的大小，从而在城市失业与农村劳动力转移之间建立起联系。

3）得到城市工作的可能性同城市失业率成反向关系。就业概率与城市失业率是反向关系，城市失业增加导致就业概率下降，使预期收入下降，超过城市就业机会增长率的人口迁移率不仅是可能的，而且是合理的。

4）农村剩余劳动力流入城市，并非全部进入现代工业部门，其就业分两个阶段。第一个阶段是没有技术的农村劳动力进入城市后，在城市的传统部门找工作，这些工作不稳定，收入水平也不高，他们经常处于失业或半失业状态中。到了第二阶段，他们才在工业部门找到固定工作。

农村劳动力不断向城市转移，城市就业压力增加，而农村劳动力资源不足，出现农业空心化现象。托达罗建议控制农村人口向城市流动的规模和速度，缓解城市失业率高的问题。首先，要解决发展中国家就业压力并完成二元经济结构转换，单纯依靠工业部门的扩张是不能奏效的，因为城市现代部门的扩张不足以吸纳全部的农业剩余劳动力。城市拓展少数的就业岗位，可能招致大量的农村剩余劳动力供给，导致更多的人失业，从而使城市失业率上升。因此，不能只注重工业发展而忽视农业的发展。其次，应该取消一切人为的导致城乡收入差异的政策和措施。在城市实行的最低工资制，对城市失业人口的最低生活补贴，导致劳动力要素供给价格扭曲，更多的剩余劳动力转移到城市，使城市失业率更高。再次，促进农村经济的发展是解决发展中国家二元经济结构转换过程中城市出现严重失业问题的关键。积极发展农村经济，提高农业生产，改善农村生活环境，把农业剩余劳动力问题的解决同农村发展结合起来，缩小城乡差别，减少劳动力向城镇迁移。发展中国家应调整投资结构，加速农村经济发展，扩大农村就业机会，缩小城乡就业之间的不平衡，减缓农村劳动力流入城市的速度。最后，通过增大劳动力流动成本和减少城市就业的预期收入从而增加劳动力转移的困难程度。

1.2 人口迁移理论与人力资本理论

1.2.1 人口迁移理论

1.2.1.1 新经济移民理论

经济学家奥迪·斯塔克（Stark，1991）是新经济移民理论的代表，他认为迁移是理性的选择，劳动力迁移的动机不仅来自城乡收入差距，也来自个人和家庭。与新古典主义经济理论不同，他把家庭而不是个人看做追求收益最大化的主体。家庭为了规避生产、收入方面的风险，或者为了获得资本等稀缺资源，会将一个或多个家庭成员迁移到收入更高的劳动力市场。新经济移民理论接受了人们集体行动会使预期收入最大化和风险最小化的思想，认为迁移行为不仅要使迁移者的个人利益最大化，也是其家庭增加资本来源和控制风险的重要途径。尤其在没有失业保险、没有福利、不能从银行贷款或不能安全投资的情况下，家庭成员得到的移民汇款可能是全家经济财富的基础。这一理论被许多发展中国家的情况所证实，在发展中国家，许多贫困家庭常常有意识地利用国际迁移来分布家庭劳动力。

在新迁移经济学派看来，家庭成员的迁移不仅能使该家庭的绝对收入有所增加，而且能提高该家庭在当地社会的地位。通过家庭成员的国际迁移，家庭可以摆脱原来在当地相对低下的社会地位。斯塔克根据他在墨西哥的研究，认为同一收入差距对于生活在不同地区、处于不同社会地位的人具有不同的意义，因此，引发移民的动因不是两地"绝对收入"的差距，而是基于同参照群体比较后可能产生的"相对失落感"（sense of relative deprivation）。也就是说，在社会发展相对迟缓时，人们比较容易安于现状，而当社会发生急剧变动时，人们往往把过去不如自己，现在处境却比自己强的人作为参照群体进行比较，这样就会产生强烈的"相对失落感"，于是就希望通过移民来提升社会地位。由此可以推出，一个社会的收入分配越不平均，相对贫困的感觉越强烈，人们移民的欲望就越热切。

与新古典主义经济理论相比，新经济移民理论有了很大的发展，其思路不再单一，而是趋于多元化。它没有将移民的原因简单归结于国家之间的收入差距，而认为工资差异并不是国际迁移的唯一原因，获得资金以及减少经济与社会危机是导致移民的重要因素。该理论还强调家庭的作用，强调移民汇款的意义，更关注移民与周围环境复杂的互动关系。这一理论弥补了新古典主义经济理论无视政治因素的缺陷，但仅从移民输出国方面考察移民的原因，适用范围狭小。

1.2.1.2 劳动力市场分割理论

Piore（1979）提出的双重劳动市场理论（the dual labor market theory）也被称为劳动市场分割理论（segmented labor market theory）。他认为，发达国家的经济体系划分为两个主要的层次，即资本密集的主要部门和劳动力密集的次要部门，这种划分导致了劳动力市场的层次化。发达国家的本地劳工对高收益、高保障、环境舒适的工作趋之若鹜，却不屑从事那些报酬低、危险度高、有伤脸面和有碍个人发展的工作，这就使得发达国家的劳动力市场存在对外国劳动力的内在需求，正是移民接受国社会经济体制的这种内在需求促进了当代人口的跨国迁移。于是，来自发展中国家的移民或主动或被动地进入了低级劳动力市场，因为工资虽低，却比他们在自己的国家挣得多，而且他们更在乎的是在自己国家而不是在外国的地位和面子。该理论认为，发达国家的劳动力市场存在对外国劳动力的永久需求，正是这种需求促进了当代人口的跨国迁移。

双重劳动市场理论较好地解释了为什么当代的国际移民很多发生在历史上彼此联系不怎么紧密的国家之间。首次从移民接受国内在机制的角度探索国际移民的成因。这个理论较好地解释了当代发达国家的一个矛盾现象，即一方面经济生活不断膨胀、对劳工的需求日盛一日；另一方面本国的失业率却仍居高不下。此外，在发达国家社会一贯存在诸如"外籍劳工接受低工资，和本地工人竞争就业机会，影响了本地人的收入和就业"这样的观念，双重劳动市场理论对此进行了有力地驳斥，认为外籍劳工的产生是发达国家的内需所致，外籍劳工的存在并不影响本地劳工的就业机会。

由于研究的局限性，双重劳动市场理论也存在不足。首先，双重劳动市场理论的出发点是发达国家的劳动力市场分割，没有从供给方面研究跨国移民。斯塔克的新经济迁移理论只从移民输出国寻找移民的原因，与此相反，双重劳动市场理论则只从移民接受国寻找移民的原因，故而该理论从需求一方，而没有从供给一方来研究跨国移民。其次，该理论专注于劳动力市场和劳工移民，对于解释 20 世纪上半叶的移民现象是有效的，但是当代国际移民的诱因，决非仅有发达国家的市场需求这一个因素，引发人口跨国迁移的因素很多。最后，双重劳动市场理论忽略了网络移民（network immigrant）或者说移民链（immigrant chain）在当代国际移民中的重要作用。移民一旦产生，往往自成一体，本身形成了供给，创造了需求。

1.2.2　人力资本理论

Schultz 在《人力资本的投资》中指出，人力资本是当今时代促进国民经济增长的主要原因，人口质量和知识投资在很大程度上决定了人类未来的前景。在影响经济发展的诸因素中，人的因素是最关键的，经济发展主要取决于人的质量的提高，而不是自然因素的丰瘠或资本的多寡。人力资本（human capital）是社会进步的决定性原因。一国人力资本存量越大，质量越高，其劳动生产率就越高。人力资本的积累是社会经济增长的源泉，这是因为，人力资本投资收益率超过物力资本投资的收益率，人力资本在各个生产要素之间发挥着相互替代和补充作用，由教育形成的人力资本在经济增长中会更多地代替其他生产要素。关于国民财富远远大于资源耗费的问题，舒尔茨认为，投入与产出之间增长速度之差的产生，一部分是由于规模效益，另一部分是由于人力资本带来的技术进步，这使得单位劳动、土地和资本的耗费可以产生比以前要高得多的产出和效益。

舒尔茨认为，人力资本是体现在劳动者身上的一种资本类型，它用劳动者的知识程度、技术水平、工作能力以及健康状况来表示，是这些方面价值的总和。人力资本是通过投资而形成的，像土地、资本等实体性要素一样，在社会生产中具有重要的作用。在人力资本的形成过程中，投资是非常关键的。这些投资一经使用，就会产生影响，投资所带来的劳动者素质的提高将在很长的时期内对经济增长作贡献。

人力资本的形成是投资的结果，是连续不断的多次投资行为过程，包括保健投资、教育投资、在职培训和人力迁移投资。保健投资是其他各种人力资本投资的重要基础。教育投资是以一定的成本支出来获得在各种正规的学校系统接受教育的活动，是整个人力投资中最核心的部分。在职培训是指为职工提高生产技术和掌握新技能而提供的教育与培训，有利于提高未来收益。重视教育投入和劳动力职业技能培训，能够提高就业的适应性与竞争力。人力迁移投资是通过一定的成本支出来实现人口与劳动力在地域或产业间的迁移与流动，以便创造更高的收入。舒尔茨把个人与家庭进行转移以适应不断变化的就业机会看做人力资本的投资之一，即劳动力转移就业是人力资本投资，是追求更大经济利益的行为决策过程。

1.3　劳动力就业结构与产业结构理论

1.3.1　劳动力就业结构理论

英国经济学家威廉·配第（1978）在其著作《政治算术》中提出，制造业劳动者比农业劳动者获得更多的收入，商业劳动者比制造业劳动者能够得到更多的收入。这种不同产业间劳动者收入的差距，促使劳动力向能够获得更多收入的部门转移。英国经济学家克拉克通过研究发现，随着人均国民收入水平的提高，劳动力首先由第一产业向第二产业转移，当人们收入水平有了进一步提高时，劳动力便大量向第三产业转移。人们称这一发现为配第－克拉克定理，该定理表述为：随着经济的发展，第一产业国民收入和劳动力的相对比重逐渐下降；第二产业国民收入和劳动力的相对比重上升，经济进一步发展，第三产业国民收入和劳动力的比重也开始上升。

配第－克拉克定理有三个重要前提：第一，它以若干国家在时间的推移中发生的变化为依据；第二，伴随经济发展，劳动力在各产业中的分布状况发生变化；第三，将全部经济活动分为第一产业、第二产业和第三产业。其形成机制有两个，其一是收入弹性差异。第一产业的属性是农业，农产品的需求特性是当人们的收入水平达到一定程度后，难以随着人们收入增加的程度而同步增加，它的收入弹性出现下降，并且小于第二、第三产业所提供的工业产品及服务的收入弹性。所以，随着经济的发展，国民收入和劳动力分布将从第一产业转移至第二、第三产业。其二是投资报酬差异。第一产业和第二产业之间，技术进步有很大差别，由于农业的生产周期长，农业生产技术的进步比工业要困难得多，所以，对农业的投资会出现一个限度，出现报酬递减。而工业的技术进步要比农业迅速得多，工业投资多处于报酬递增的情况，随着工业投资的增加，产量的加大，单位成本下降的潜力很大，这必将进一步推动工业的发展。

配第－克拉克定理是对产业结构变动规律的经验总结，也是一条反映产业结构变动的经济规律，不仅可以从一个国家经济发展的时间序列中得到印证，而且还可以从处于不同发展水平的国家在同一时点上的横断面比较中得到印证。从处于同一历史时期而发展水平不同的国家的经济情况看，人均国民收入较低的国家，第一产业劳动力所占的比重相对较大，第二、第三产业劳动力所占的比重相对较小；人均国民收入水平较高的国家，劳动力在第一产业中所占的比重相对较小，第二、第三产业中劳动力所占的比重相对较大。

1.3.2 产业结构理论

美国当代著名经济学家库兹涅茨（1999），在克拉克的研究成果基础上，用时间序列对各国国民收入和劳动力在产业间结构的演进趋势进行统计，对伴随经济发展的产业结构变化进行分析研究，探讨了国民收入与劳动力在三次产业分布与变化趋势之间的关系，从而深化了产业结构演变的动因研究。他研究的结论有以下几点。

1）随着年代的延续，农业部门实现的国民收入在整个国民收入中的比重以及农业劳动力在总劳动力中的比重均在不断下降。

2）工业部门国民收入的相对比重大体上是上升的，然而，如果综合各国的情况看，工业部门中劳动力的相对比重大体不变或略有上升。

3）服务部门的劳动力相对比重呈现上升趋势，但国民收入的相对比重，却并不与劳动力的相对比重的上升趋势同步，综合起来看大体不变或略有上升。

他认为引起国民收入和劳动力在各产业间变动的原因主要有以下几点。

1）导致农业部门的国民收入和劳动力相对比重趋于下降的主要原因有三个。一是由农产品的需求特性所引起的低收入弹性。农产品为最终生活必需品，当生活水平达到一定程度后，人们对农产品的需求并不随着收入增加的程度而同步增加，这样就使农产品需求的收入弹性下降，使农产品在价格和获取附加价值上处于不利地位。农业实现的国民收入份额便趋于减少。二是农业与工业之间技术进步的差异性。农业生产技术进步比工业困难，农业投资受报酬递减的限制，而工业投资则因技术进步而报酬递增。三是农业劳动生产率的提高和农业国民收入相对比重的降低都必然引起农业劳动力相对比重的下降。

2）工业部门国民收入相对比重上升、劳动力相对比重大体不变的原因不仅在于消费结构的变化使工业的收入弹性处于有利地位。国民收入中用于投资的增长亦在不断扩大工业市场，整个国民收入的支出结构的演变也导致了工业的高收入弹性，使工业实现的国民收入相对比重上升；而且随着工业技术的进步，原有工业部门资本有机构成的提高排斥自身的劳动力，而工业部门内行业的扩张和增加又吸收劳动力，两相抵消，劳动力的相对比重趋于稳定。

3）服务部门劳动力相对比重上升、国民收入相对比重微升的原因是，"服务"这种商品比农产品具有更高的收入弹性，加之第三产业中许多行业具有劳动力和资本容易进入的特点，产业内部竞争激烈，使"服务"这一商品相对于工业品在价格上处于劣势，服务部门实现的国民收入的相对比重难以上升。库兹涅茨根据对经济发展程度不同的国家的分析比较得出如下结论：不发达国家的第一产业和第二产业的比较劳动生产率（相对国民收入）的差距比发达国家要大，不发达国家多为农业国，发达国家多为工业国。

1.4 制度变迁理论与增长极理论

1.4.1 制度变迁理论

新制度经济学（new institutional economics）是用主流经济学的方法分析制度的经济学。科斯等（1990）认为制度是经济理论的柱石，在决定一个国家经济增长和社会发展方面具有决定性作用。制度通过改变成本与收益关系来支配经济活动和经济增长，改变产权结构、法律、契约、政府行为和管制等制度，使之有激励作用。完善的人力资本投资体制对人力资本的发展极其重要，它不仅可以节约交易成本，而且还有利于人力资本发展从而有利于人口素质的改善与提高。因此，需要逐步消除阻碍劳动力流动的制度，建立与市场经济运行机制相适应的劳动力流动制度，坚持市场与政府相结合，以市场调节为主。

制度变迁理论是新制度经济学的一个重要内容，其代表人物是道格拉斯·诺斯。他强调技术的革新固然为经济增长注入了活力，但如果没有制度创新和制度变迁，并通过一系列制度（包括产权制度、法律制度等）构建，把技术创新的成果巩固下来，那么人类社会长期的经济增长和社会发展是不可设想的。诺斯认为，在决定一个国家经济增长和社会发展方面，制度具有决定性的作用，一定的制度必须提高经济效益，否则就会被新的制度取代。制度变迁的原因之一就是相对节约交易费用，即降低制度成本，提高制度效益。所以，制度变迁可以理解为一种收益较高的制度对另一种收益较低的制度的替代过程。产权理论、国家理论和意识形态理论构成制度变迁理论的三块基石，制度变迁理论涉及制度变迁的原因或制度的起源问题、制度变迁的动力、制度变迁的过程、制度变迁的形式、制度移植、路径依赖等。

1.4.2　增长极理论

　　法国经济学家佩鲁提出增长极理论，他认为，增长并不是出现在所有地方，而是以不同的强度出现在一些增长点或增长极上，然后通过不同的渠道向外扩散，并对整个经济产生不同的影响。区域经济发展的不平衡乃是经济发展中的常态，从空间角度看，经济发展在不同地区是以不同速度进行的，一个区域中存在着发展较快的主导产业和创新型产业，它们在空间上聚集形成一个增长中心，这种中心与技术高度集中，具有规模经济效应，并依靠企业家的创新意识、资源集聚能力而产生对外部经济和产业间关联的乘数扩张效应，从而形成推动其他产业联动发展的增长极。

　　增长极是具有空间集聚特点的增长中的推动性工业的集合体。它有三个方面的特征：一是增长具有规模性，二是增长具有推动性，三是增长的载体是工业的集合体。这一理论是西方工业经济时代产生的实用性很强的经济理论。增长极的形成，应具有历史、技术经济和资源优势三个方面的条件。从历史条件看，不同形式的集聚范围内，基础设施、劳动力素质、社会文化环境如果具有了优势条件，就有利于增长极的形成。从技术经济条件看，经济发展水平较高，在技术和制度方面具有较强创新和发展能力的区域，更适合于增长极的产生和发展。从资源条件看，在原料、能源以及水源等资源优势区域，新的增长极更有利于形成。经济增长极作为一个区域的经济发展的新的经济力量，它自身不仅形成强大的规模经济，而且对其他经济也产生着支配效应、乘数效应和极化与扩散效应。

　　以刘易斯和托达罗为代表的新古典主义经济理论从经济收入和城市就业机会等角度解释了发展中国家农村劳动力转移的基本动因。以斯塔克、迈克尔和舒尔茨为代表的人口迁移的行为理论与人力资本理论从微观的角度阐明了发展中国家农村劳动力转移的个体与家庭因素。以配第、克拉克和库兹涅茨为代表的结构主义学派从产业结构与就业结构的演变阐述劳动力在三次产业中的转移规律。科斯和佩鲁分别从制度和空间视角解释了人口迁移的规律，这些理论构成本书的分析框架。为进一步理解和清晰阐述行文的基本思路与基本理论，本书直接应用的有关劳动力转移就业理论归纳见表1-1。

表 1-1　本章直接应用的有关劳动力转移就业理论

理论流派	理论代表人物	核心观点	政策主张或措施
新古典主义经济理论	刘易斯（Lewis W A，1956）	工业扩张吸纳农村劳动力	城乡实际收入差别
	托达罗（Todaro M P，1969）	乡村发展解决农村劳动力就业	影响城乡实际收入的经济、社会政策
人口迁移与人力资本理论	斯塔克（Stark，1991）	劳动力转移的动机不仅来自城乡收入差距，也来自个人和家庭	解决农村收入不平等问题可以促进经济发展和提高社会福利
	迈克尔·皮奥里（Piore M，1979）	现代发达国家业已形成了双重劳动力市场，本地劳动力不愿进入低级劳动力市场，对外国劳动力的需求促进了人口的跨国迁移	强调劳动力市场的分割属性，强调制度和社会性因素对劳动报酬与就业的重要影响
	舒尔茨（Schultz，1964）	劳动力转移就业是人力资本投资，当转移收益大于成本时，转移才会发生	重视教育投入和劳动力职业技能培训，提高就业的适应性
结构主义理论	配第、克拉克（Petty S W，1672；Colin-Clank，1940）	不同产业间劳动者收入的差距，促使劳动力向能够获得更多收入的部门转移	发展第二、第三产业，充分发挥它们在吸收劳动力就业中的作用
	库兹涅茨（Kuznet S S，1971）	三次产业就业结构与产值结构变动一致，揭示了劳动力就业结构变动的一般规律	在经济结构调整中安置劳动力就业
制度经济学与增长极理论	科斯（Coase R H，1965）	制度是经济理论的柱石，制度通过改变成本与收益关系支配经济活动和经济增长	改变产权结构、法律、政府行为和管制等制度，使之有激励作用
	弗朗索瓦·佩鲁（Perroux F，1955）	区域经济发展的不平衡乃是经济发展中的常态，增长是以不同的强度出现在一些增长点或增长极上，增长极具有空间集聚的特点	在边缘落后地区建立新的增长极或增长中心，使发达地区老增长极和落后地区新增长极协调发展

第2章
转移历程与政策回顾

制度、制度化的政策以及管理体制的选择,受到客观约束(财力、国情以及政治经济体制等因素)和主观愿望(管理理念)的共同制约。中国流动人口管理体制几经变迁,每个阶段的变更都与主观管理理念和客观约束的变化密不可分(尹德挺,2009)。新中国成立初期,经济基础薄弱,相关人口流动的管理思路和政策体系尚未成型。随着中国第一个五年计划的实施,政府部门明确提出"重工业优先发展"的战略构想,并派生出一系列政策:1953年的粮食统购统销制度、1957年的城市人口疏散下放政策、1958年的农村人民公社制度以及自1958年《中华人民共和国户口登记条例》正式实施以后逐步形成的以户籍制度为依托的人口流动控制制度等。这一系列政策的目的都是为了补充和稳定农村劳动力,为城市人口创造充足、低价的农产品,最大限度地压低重工业发展成本。重工业优先的发展战略和城市偏向性的制度政策强化了中国已有的城乡二元结构(蔡昉,2000)。从流动人口管理体制中的"成员-规则-机制"的角度来看,这一阶段流动人口管理的"成员"主要是以公安、农村合作社为主体的管理部门;"规则"是把城乡人口割裂开来的户籍制度以及与之配套的城市劳动就业制度、基本消费品供应的票证制度、排他性的城市社会保障和福利制度等;运行"机制"是自上而下的政治性推动,国家计划经济和特定意识形态相联系的政府垄断管理。在这样的制度安排下,最终的政策后果是在1958年以后的很长一段时间里,中国一直处于人口城乡隔离的状态,这样的制度安排基本阻止了农民由农村向城市的流动,流动人口的势能积累强烈,劳动力要素空间配置效率很低。

人民公社体制解体、统购统销制度的废除和城市户籍制度的松动,为农村劳动力流动创造了有利的制度环境。农村改革的成功,不仅解放了农村劳动力,而且生产了足够多的农产品,使农村劳动力向城市流动成为可能。农村乡镇企业的兴起和城市体制改革的推进,创造了新兴产业部门,增加了其对劳动力的需求,吸引农村劳动力流动转移。20世纪80年代中国农村劳动力主要是就近转移到乡镇企业，1988年乡镇企业吸收了9546万农村劳动力。到了90年代初期，由于多种原因导致乡镇企业增长乏力，农村劳动力开始大规模跨地区转移，外出劳动力规模逐年扩大（图2-1），1985年外出规模不足1000万，1991年农村外出劳动力规模超过2000万，形成中国特有的"民工潮"。这一时期，经济发展对劳动力的需求相对有限，农村劳动力转移数量庞大且增速很

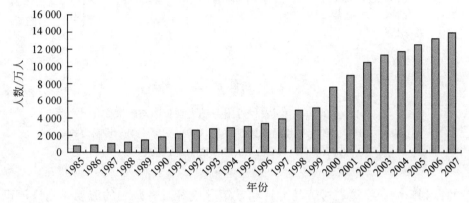

图2-1　1985~2007年中国农村外出劳动力

注：根据《中国统计年鉴》（2008）数据绘制

快，表现为劳动力的无限供给，因此，这一时期劳动力市场是需求主导型。但农村劳动力转移速度波动很大（图2-2）。1998年乡镇企业农村劳动力就业增长率高达36.9%，1997年却是负的32.0%[①]。这些都和政策的作用直接相关，国家统筹考虑农村与城市经济发展，在某个时期考虑城市经济的吸纳能力，采取限制农村劳动力进城的措施；在某个时期，考虑农村人口过剩，人地关系矛盾突出以及农民增收困难等，采取鼓励农村劳动力进城的政策。本书将1985年以来与农村劳动力转移直接有关的政策进行了归纳，并将政策的影响赋值，若是采取鼓励政策赋值为10，若是没有出台政策就赋值为0，若是出台限制政策赋值为 – 10（附录一），图2-2反映政策变化与农村劳动力外出增长率之间的对应关系，每当采取积极鼓励转移政策时，农村劳动力转移规模就大，增长率就高；每当采取限制农村劳动力外出的政策时，农村劳动力转移规模就小，增长率就低。只是政策的时滞性，导致农村外出劳动力增长的变化落后于政策的变化。

改革开放后，农村劳动力规模的扩大和范围的变化有明显的阶段性，受政

[①]　根据《中国统计年鉴》（2008年）和盛来运著《流动还是迁移——中国农村劳动力流动过程的经济学分析》中数据计算得出。

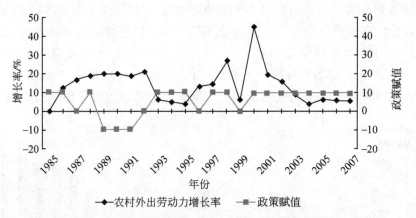

图 2-2　1985～2007 年中国农村外出劳动力增长率与政策变化的关系

注：农村外出劳动力转移速度是依据盛来运（2008）中农村外出劳动力的数量

计算，政策赋值是根据本书的归纳与分析

策的深刻影响，中国农村劳动力转移政策分别经过有限制的流动、允许流动、控制盲目流动、规范流动和公平流动五个历史阶段。

2.1　有限制的流动阶段（1978～1983 年）

1978 年年底开始的农村家庭承包制改革，使农户成为其边际劳动努力的剩余索取者，从而解决了人民公社制度下因平均分配原则而长期解决不了的激励问题（Meng，2000）。与此同时，政府开始对价格进行改革，引导农民提高农业生产率。在农业剩余劳动力被释放出来后，非农产业活动更高的报酬吸引劳动力转移（Cook，1999），从而推动农村生产要素市场的发育，原来主要集中在农业的劳动力开始向农村非农产业、小城镇甚至大中城市流动。由于各种阻碍劳动力流动的障碍尚未拆除，以及政府鼓励农村劳动力就地转移的政策引导，20 世纪 80 年代前期的劳动力转移以从农业向农村非农产业转移为主，主要是在乡镇企业中就业，即所谓的 "离土不离乡"。1978～1984 年，农民尚属打零工状态，估计改革初期农民外出就业不超过 200 万人（崔传义，2004）。但随着乡镇企业遇到来自国有企业、"三资" 企业和私人企业越来越强劲的竞争，乡镇企业必须提高技术水平和产品质量，因而乡镇企业资本增加的速度逐渐加快，吸纳劳动力的速度相应减缓。农村劳动力面临着越来越强烈的跨地区转移的压力。与此同时，外商投资企业、中外合资企业、私营企业和股份公司等其他非国有部门在东部地区发展较快，扩大了对劳动力的需求，并成为消除制约劳动力流动体制障碍的一支重要力量。

2.2　允许流动阶段（1984～1988 年）

随着农村劳动力就地转移渠道日益狭窄，1983 年政府开始允许农民从事农产品的长途贩运和自销，第一次给予农民异地经营以合法性。1984 年国家《关于农民进集镇落户问题的通知》的颁布标志着户籍制度的松动，国家准许农民自筹资金、自理口粮、进城务工，这是农村劳动力流动政策变动的一个标志。1985 年中共中央、国务院《关于进一步活跃农村经济的十项政策》，允许农民进城开店设坊、兴办服务业与加工业，提供各种劳务，城市要在用地和服务设施方面提供便利条件。1986 年中共中央、国务院《关于国营企业招用工人的暂行规定》，规定企业招用工人，符合报考条件的城镇行业人员和国家允许从农村招用的人员，均可报名。1988 年中共中央、国务院《关于加强贫困地区劳动力资源开发工作的通知》，允许组织劳动力跨地区劳动，采用多种形式开拓劳动力市场，为搞活劳动力流动创造条件。这些鼓励和便利农村劳动力转移流动政策的实施，使得农村劳动力转移流动进入一个较快的增长时期。城市福利制度的改革也为农村劳动力向城市流动创造了制度环境，20 世纪 80 年代后期开始逐步进行的城市经济改革，如非国有经济的发展，粮食定量供给制度的改革以及住房分配制度、医疗制度及就业制度的改革，降低了农民向城市流动并居住下来和寻找工作的成本。这一时期的劳动力转移速度逐年上升，而且上升很快。1985～1988 年，劳动力流动稳步上升，规模不断扩大，全国出县就业人口已达 900 万人左右（崔传义，2004）。劳动力转移速度也从 1986 年的 12.5% 上升到 1987 年的 16.7%，1988 年达到 19.1% 以上（表 2-1）。由于政策的滞后性，1991 年转移速度达 18.9%，1992 年达 21.1%。

表 2-1　1985～1988 年中国乡镇企业就业和外出就业人数及其增长率

年　份	乡镇企业就业人数		农村劳动力外出人数		农村劳动力转移人数	
	人数/万人	增长率/%	人数/万人	增长率/%	人数/万人	增长率/%
1985	6 979		800		7 779	
1986	7 937	13.7	900	12.5	8 837	13.6
1987	8 805	10.9	1 050	16.7	9 855	11.5
1988	9 546	8.41	1 250	19.1	10 796	9.5

资料来源：《中国统计年鉴》（2007 年）；盛来运，2008

2.3 控制盲目流动阶段 (1989～1991年)

基于城市基础设施和公共资源供给短缺的严峻现实和客观约束，城市和城镇新增就业岗位的减少和进城农民工数量增多，导致城市交通、治安等方面的问题日益突出，国家出台政策对农村劳动力盲目流动进行管理，保留大部分允许农村劳动力流动的政策，开始组织实施农村劳动力开发就业试点工作。1989年中共中央、国务院《关于严格控制民工外出的紧急通知》，要求各地人民政府采取有效措施，严格控制当地民工外出，从此揭开了中国流动人口管制政策的序幕。1990年中共中央、国务院《关于做好劳动就业工作的通知》，要求各地引导富余劳动力"离土不离乡"，对进城农民工实行有效控制、严格管理。1991年中共中央、国务院《关于劝阻民工盲目去广东的通知》，要求各地政府从严或暂停办理民工外出务工手续（表2-2）。1994年11月，劳动部发布了《农村劳动力跨省流动就业管理暂行规定》，正式对人口跨省流动实施严格管制，包括：①实行流动就业证制度，控制流动人口跨省流动；②采取本地就业优先原则，限制流动人口跨省流动；③严格控制招收方式等。1995年，在厦门召开的全国流动人口管理工作会议确定了"因势利导，宏观控制，加强管理，兴利除弊"的流动人口指导思想；同年9月，中央社会治安综合治理委员会还颁布了《关于加强流动人口管理工作的意见》，对流动人口管制工作进行全面部署。在此阶段初期，政府通过强制遣送、劝返以及就业和经商歧视等管制措施，在一定程度上抑制了人口的大规模流动。由于政策的时滞性，1992年农村劳动力的转移速度开始下降，1993年转移速度急剧下降到6.2%，1994年继续下降到5.0%，直到1995年下降到3.9%的最低点。

表2-2　1989～1991年中国乡镇企业就业和外出就业人数及其增长率

年 份	乡镇企业就业人数		农村劳动力外出人数		农村劳动力转移人数	
	人数/万人	增长率/%	人数/万人	增长率/%	人数/万人	增长率/%
1989	9 367	−1.9	1 500	20.0	10 867	0.7
1990	9 265	−1.1	1 800	20.0	11 065	1.8
1991	9 609	3.7	2 140	18.9	11 749	6.2

资料来源：《中国统计年鉴》（2007年）；盛来运，2008

2.4 规范流动阶段（1992~2000 年）

1992~2000 年，随着市场经济的发展，城市化进程的逐步推进，就业持续增加，农村劳动力呈现出全方位流动的特点。这一阶段的政策主要是加快劳动力市场建设，建立健全劳动力市场规则，明确各方的行为规范，鼓励农村剩余劳动力就地就近转移。1993 年国务院颁布《关于建立社会主义市场经济体制若干问题的决定》，指出合理调控进城务工的规模，引导农村剩余劳动力逐步向非农产业和经济活跃地区有序流动，为跨省流动就业的农民工办理流动就业证。1995 年国务院颁布《关于加强流动人口管理工作的意见》要求促进农村剩余劳动力就地就近转移，提高流动的组织化程度，对流动人口统一管理，实施以就业证卡管理为中心的农村劳动力跨地区流动的就业制度，对小城镇的户籍管理制度进行改革。1997 年 5 月《小城镇户籍管理制度改革试点方案》颁布，劳动力作为生产要素在市场调节下表现得更为活跃，人口流动的浪潮变得势不可挡。因此，在控制人口盲目流动阶段的后期，人口流动规模开始飙升。1994 年中国流动人口超过了管制前的规模，将近达到 8000 万，1997 年已逾 1 亿。面对这样的客观现实，政府部门开始思考如何对流动人口管理理念和手段进行创新，从根本上扭转流动人口管理上的被动局面，变"堵"为"疏"。在此历史背景下，"以人为本、促进融合"成为流动人口管理理念变革的必然趋势。1998 年，由于受到亚洲金融危机的影响，农村劳动力转移速度变慢，1999 年为 6.2%，其他年份的转移增长率都呈现上升趋势，1996 年、1997 年和 1998 年的转移增长率分别是 13.3%、14.4% 和 26.9%，到 2000 年转移增长率为 45.0%，达到最大值（表 2-3）。

表 2-3 1992~2000 年中国乡镇企业就业和外出就业人数及其增长率

年　份	乡镇企业就业人数		农村劳动力外出人数		农村劳动力转移人数	
	人数/万人	增长率/%	人数/万人	增长率/%	人数/万人	增长率/%
1992	10 625	10.6	2 592	21.1	13 217	12.5
1993	12 345	16.2	2 752	6.2	15 097	14.2
1994	12 018	−2.7	2 888	5.0	14 906	−1.3
1995	12 862	7.0	3 000	3.9	15 862	6.4
1996	13 508	5.0	3 400	13.3	16 908	6.6
1997	9 158	−32.0	3 890	14.4	13 048	−22.8
1998	12˙537	36.9	4 936	26.9	17 473	33.9

年　份	乡镇企业就业人数		农村劳动力外出人数		农村劳动力转移人数	
	人数/万人	增长率/%	人数/万人	增长率/%	人数/万人	增长率/%
1999	13 288	6.0	5 240	6.2	18 528	6.0
2000	12 820	−3.5	7 600	45.0	20 420	10.2

资料来源:《中国统计年鉴》(2007 年);盛来运，2008

2.5　公平流动阶段（2000 年以来）

进入 21 世纪，中国社会经济发展水平和人口形势都发生了翻天覆地的变化，以人为本、贯彻落实科学发展观的理念变化以及国家经济实力的不断增强，为中国政府部门在全国范围内加快社会融合步伐，推进基本公共服务均等化战略创造了有利的客观条件。2000 年，为了推进小城镇健康发展，中共中央、国务院发布的《关于促进小城镇健康发展的若干意见》规定:从 2000 年起，允许中国中小城镇对有合法固定住所、稳定职业或生活来源的农民给予城镇户口，并在子女入学、参军、就业等方面给予与城镇居民同等的待遇，不得实行歧视性政策，不得对在小城镇落户的农民收取城镇增容费或其他费用。此项文件的出台标志着中国流动人口政策开始进入融合阶段。2003 年，中国农村劳动力到乡以外地方流动就业的人数已超过 9800 万人，是 1990 年 1500 万人的 6 倍以上。这一阶段中国实施统筹城乡就业政策，取消对进城农民工就业的种种限制，积极推进诸多方面的配套改革，逐步实现城乡劳动力市场一体化。2004 年中央一号文件明确指出:"农村富余劳动力向非农产业和城镇转移，是工业化和现代化的必然趋势。农民进城务工就业，促进了农民收入的增加，促进了农业和农村经济结构的调整，促进了城镇化的发展，促进了城市经济和社会的繁荣。"

中央政府还颁布了一系列政策法规，为流动人口的社会融合扫清障碍，并开始完善流动人口的就业、就医、子女就学、社会保障等公共服务，逐步实现流动人口与户籍人口的公平对待。

1）建立健全流动人口社会保障与公平机制。2006 年发布的《关于解决农民工问题的若干意见》要求建立健全流动人口工伤保险、养老保险和医疗保险等社会保障;2007 年中央社会治安综合治理委员会出台了《关于进一步加强流动人口服务和管理工作的意见》，提出"公平对待、搞好服务、合理引导、完善管理"的工作方针。

2）将流动人口纳入城市公共服务体系。2007 年中央社会治安综合治理委员会出台《关于进一步加强流动人口服务和管理工作的意见》，明确要求逐步实行居住证制度，逐步建立和完善覆盖流动人口的公共服务体系。

3）取消针对流动人口的歧视政策。2003 年国务院办公厅发布《关于进一步做好进城务工就业农民子女义务教育工作意见的通知》，要求流入地政府取消流动儿童的借读费、赞助费；2005 年劳动和社会保障部发出《关于废止〈农村劳动力跨省流动就业管理暂行规定〉及有关配套文件的通知》，正式废除流动人口就业证制度。

4）扩大流动人口融合的范围。2006 年发布的《关于解决农民工问题的若干意见》，要求中小城市和小城镇要适当放宽农民工落户条件，大城市要积极稳妥地解决符合条件的农民工户籍问题。2004~2010 年，中央连续出台 7 个中央一号文件，惠农政策的实施和政策效果的逐步体现，外出务工机会成本的增加，加之劳动力转移经历 30 年的时间，能够外出的已经基本外出，因此，农村劳动力转移速度开始趋于稳定，2003~2006 年的转移增长率依次为 8.8%、3.8%、6.4% 和 5.6%（表 2-4）。

表 2-4 2000~2006 年中国乡镇企业就业和外出就业人数及其增长率

年　份	乡镇企业就业人数		农村劳动力外出人数		农村劳动力转移人数	
	人数/万人	增长率/%	人数/万人	增长率/%	人数/万人	增长率/%
2000	12 820	-3.5	7 600	45.0	20 420	10.2
2001	13 086	2.1	9 050	19.1	22 136	8.4
2002	13 288	1.5	10 470	15.7	23 758	7.3
2003	13 573	2.2	11 390	8.8	24 963	5.1
2004	13 866	2.2	11 823	3.8	25 689	3.0
2005	14 272	2.9	12 578	6.4	26 850	4.5
2006	14 680	2.9	13 283	5.6	27 963	4.1

资料来源：《中国统计年鉴》（2007 年）；盛来运，2008

2.6 本章小结

1）大规模人口迁移是制度变迁和经济转型共同作用的结果。20 世纪 50 年代，把城乡人口和劳动力分隔开的户籍制度以及与其配套的城市劳动就业制度、城市偏向的社会保障制度、基本消费品供应的票证制度、排他性的城市福利体制等，阻碍了劳动力这种生产要素在部门间、地域上和所有制之间的流动。随着这些制度的变迁和经济转型，农村劳动力大规模地向城镇和非农产业转移。

2）农村劳动力转移规模有明显的阶段性。农村劳动力转移速度波动很大，这和政策的变化直接相关。国家统筹考虑农村与城市经济发展，在某个时期考虑城市经济发展与城市的吸纳能力，采取限制农村劳动力进城的措施，农村劳动力转移规模变小，转移速度趋缓，如 1978～1983 年和 1989～1991 年；在某个时期，考虑农村人口过剩，人地关系矛盾突出以及农民增收困难等，采取鼓励农村劳动力进城的政策，农村劳动力转移规模变大，转移加速，如 1984～1988 年以及 1992 年以后。进入 21 世纪，有关农村劳动力转移政策日臻完善。

3）劳动力流动的整体规模逐年扩大，但增速放缓。1978～2003 年中国的农村劳动力年均增长速度超过 9%。但自 1997 年起，转移速度呈下降趋势，1997～2003 年，年均转移 500 万人左右，年均增长约 4%。特别是 2003 年，农村转移劳动力仅增加 490 万人，同比增长 3%，低于近年的平均水平。

4）建立和完善市场就业机制。发挥市场机制在劳动力资源配置中的基础性作用，因势利导地推行灵活多样的就业形式，形成以劳动者自主就业为主导、以政府法律制度为基础的市场就业机制。全面加强政府公共就业服务机构建设，加强职业介绍、职业指导、职业培训，提供优质就业服务。加强法制建设，规范企业用人行为和劳动力市场秩序，保障劳动者平等就业权利的实现。

5）坚持城乡经济社会协调发展与统筹城乡就业。为使农村劳动力合理有序转移，我们需要坚持大中小城市和小城镇协调发展、走中国特色的城镇化道路，消除不利于城镇化发展的体制和政策障碍，为农民创造更多的就业机会。逐步统一城乡劳动力市场，加强引导和管理，形成城乡劳动者平等就业的制度。依法维护进城农民工的合法权益，引导农村富余劳动力平稳有序转移。

第3章
中国新时期农村劳动力转移变化

进入21世纪，农村外出劳动力的规模更大（图3-1），经济社会环境发生积极变化。中国已经进入工业化的中期阶段，宏观经济总量跃居世界第二，中央财政收入大幅增长，城镇化每年以1%左右的速度增长，目前中国已经具备了"工业反哺农业、城市带动农村"的经济条件。近年来中央出台了诸多惠农政策，随着资金、技术等更多的生产要素向农村投入以及新农村建设政策的实施、农村社会经济环境的改善、农村劳动力外出就业的机会成本增加。中国就业结构发生积极变化，2004年从事农林牧渔的就业比重为61.57%，比2000年下降6.81%；非农业就业比重上升为38.5%[①]。根据国家统计局抽样调查，2006年，中国农村外出务工的劳动力总数已达1.3亿人，占农村劳动力总量的26%，占城镇从业人员的46%（盛来运，2008）。2003年以来，转移到乡镇企业就业的基本稳定在3%以下，外出打工增长率平均在8%以下，转移的

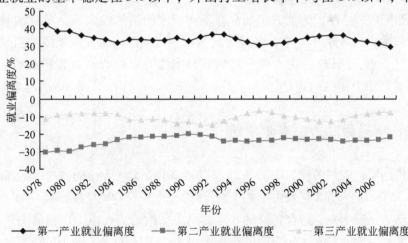

图3-1　1978～2007年中国三大产业就业偏离度

注：根据《中国统计年鉴》（2008年）数据计算和绘制

---

① 数据来源：《中国统计年鉴》（2005年）。

年增长率平均在5%以下。预计今后几年农村转移新增劳动力将在400万～500万人，增长在4%～5%（韩俊，2004）。在新的历史时期，中国农村劳动力转移就业表现出一些新的特点。

3.1 农村劳动力转移供给的变化

3.1.1 劳动力市场供需失衡

2003年，中国珠江三角洲、闽东南、浙东南等地区相继出现"民工荒"现象。据劳动和社会保障部课题组《关于民工短缺的调查报告》（2004年），珠江三角洲是缺工最严重的地区，缺工比率为10%，有近200万人的缺口，其中，深圳缺口约40万人，东莞缺口近27万人。2006年，"民工荒"仍在广东、福建、浙江等地区持续。另据国家统计局农村社会经济调查队调查，2004年中国农村劳动力大约4.8亿人，而农林牧渔实际需要的劳动力只有1.7亿人，考虑到农业现代化进程，多余劳动力只能向非农产业寻找就业机会。在全国660多个城市中，农民工已经达到1.2亿人之多，尚有2亿左右的农村剩余劳动力需要转移，不可能出现劳动力紧缺的情况。在自由竞争的劳动力市场上，供求双方决策是自身利益权衡的结果，当供需双方期望吻合时，市场达到均衡。"民工荒"现象是中国劳动力市场供需失衡的表现，"有事没人干"和"有人没事干"并存，劳动力市场存在不同程度的结构性失衡。具体表现为高技能、高素质人才供不应求，各等级的技术工人供不应求，低素质的劳动力则明显供过于求，所以，"民工荒"的实质是岗位需求和劳动力素质双重差异造成的供需结构失衡的结果。

3.1.2 年轻劳动力的有限供给

从供给看，农村劳动力中18～25岁的占20%，15～34岁的青壮年劳动力仅占1/3。2004年，1.18亿农民工的平均年龄为29岁，70%左右是15～34岁的青壮年劳动力。近年来，适合转移的年轻劳动力供给趋势在减少，根据1990年人口普查数据，1964～1974年出生的全部人口为27 414万人，而1974～1985年出生的全部人口是21 830万人，减少了5584万人[①]。1985年以后出生、未来几年

---

① 资料来源于《中国统计年鉴》（1991年）。

将进入劳动力市场的人数减少，而经济发展中劳动力的需求增加，这就出现了年轻劳动力的有限供给和短缺。国务院发展研究中心农村经济研究部 2006 年对 2749 个村的调查显示，其中 74.3% 的村认为能够外出就业的劳动力都已外出[①]。这种年轻劳动力短缺的情况，将会随着新增劳动力逐步减少、劳动力总量中年轻劳动力的比重进一步降低，而呈现加剧的趋势（张志忠，2003）。

3.1.3 农民工转向以新生代为主体

农民工市场结构发生转型，新生代农民工成为主体。以年龄为标准，农民工可分为三代，即 1970 年以前出生的为第一代，1970～1979 年出生的为第二代，1980 年以后出生的为第三代，后两者被称为新生代农民工。2001～2004 年，新生代农民工占农民工总数量的比例一直在 61% 以上，第一代农民工的比例在 13% 左右徘徊，新生代农民工已经成为农民工劳动力市场供给的主体。

老一代农民工和新生代农民工的劳动力市场特性明显不同（表 3-1），这种差异导致农民工劳动力市场的结构优化、人力资本水平提高、流动性更大。新生代农民工对收入要求、未来预期、流动定居等都有别于老一代农民工，时代发展呼唤政策和制度的变革以适应他们的需要。

表 3-1　新老两代农民工的劳动力市场特征

特　征	老一代农民工	新生代农民工
就业动机	以家庭经济利益为主	以自我利益为主
人力资本水平	以初中为主	以初、高中为主
就业领域	粗、重、累、苦的体力工作	部分从事非体力劳动的白领职业
就业流动性	小	大
就业期望	低	高
就业权益保护要求	低	高

资料来源：黄乾，2007

3.2　农村劳动力转移需求的变化

3.2.1 农民工成为城镇劳动力市场不可或缺的组成部分

目前，跨区域流动就业的农民工已由 20 世纪 90 年代初的三四千万人增加

---

① 资料来源于《国务院发展研究中心农村经济研究部的研究报告》（2006 年）。

到 1.2 亿人，成为珠江三角洲、长江三角洲、环渤海等地区工业化的主力。据劳动和社会保障部 2004 年一季度对北京、天津、广州、武汉等 26 个城市的 2000 家企业的调查，农民工已占企业员工总数的 59.8%，珠江三角洲地区的比重为 74%，闽东南地区为 71%，长江三角洲地区为 59%，环渤海地区为 49%，中西部地区为 43%[①]。据全国总工会统计，目前中国产业工人总数的 2/3 来自农村（黄乾，2007）。

就业结构偏离度测算（表 3-2）表明，中国第二、第三产业对农村劳动力有需求，就业结构偏离度是指某一产业的就业比重与增加值比重之差，是衡量一个经济体的产业结构和劳动力就业结构匹配程度的重要标准。一般来说，结构偏离度与劳动生产率成反比，结构偏离度大于零（正偏离），该产业的就业比重大于增加值比重，意味着该产业的劳动生产率较低。反之，负偏离则意味着该产业的劳动生产率较高。从另外一个角度看，结构正偏离的产业存在劳动力转出的可能性，结构负偏离的产业存在劳动力转入的可能性。如果国民经济各产业都是开放的，产业间没有行业壁垒，即呈完全竞争状态，那么通过市场对劳动力资源的重新配置，会使各产业的生产率逐步趋于一致，各产业的结构偏离度也就逐步趋于零。

表 3-2　中国三次产业产值构成、就业构成及就业结构偏离度

年　份	第一产业			第二产业			第三产业		
	产值构成	就业构成	就业偏离度	产值构成	就业构成	就业偏离度	产值构成	就业构成	就业偏离度
1978	28.2	70.5	42.3	47.9	17.3	−30.6	23.9	12.2	−11.7
1979	31.3	69.8	38.5	47.1	17.6	−29.5	21.6	12.6	−9.0
1980	30.2	68.7	38.5	48.2	18.2	−30.0	21.6	13.1	−8.5
1981	31.9	68.1	36.2	46.1	18.3	−27.8	22.0	13.6	−8.4
1982	33.4	68.1	34.7	44.8	18.4	−26.4	21.8	13.5	−8.3
1983	33.2	67.1	33.9	44.4	18.7	−25.7	22.4	14.2	−8.2
1984	32.1	64.00	31.9	43.1	19.9	−23.2	24.8	16.1	−8.7
1985	28.4	62.4	34.0	42.9	20.8	−22.1	28.7	16.8	−11.9
1986	27.2	60.9	33.7	43.7	21.9	−21.8	29.1	17.2	−11.9
1987	26.8	60.0	33.2	43.6	22.2	−21.4	29.6	17.8	−11.8

[①]　资料来自于劳动和社会保障部 2004 年的调查数据。

年 份	第一产业			第二产业			第三产业		
	产值构成	就业构成	就业偏离度	产值构成	就业构成	就业偏离度	产值构成	就业构成	就业偏离度
1988	28.2	59.3	33.6	47.9	22.4	−21.4	23.9	18.3	−12.2
1989	31.3	60.1	35.0	47.1	21.6	−21.2	21.6	18.3	−13.8
1990	30.2	60.1	33.0	48.2	21.4	−19.9	21.6	18.5	−13.1
1991	31.9	59.7	35.2	46.1	21.4	−20.4	22.0	18.9	−14.8
1992	33.4	58.5	36.7	44.8	21.7	−21.7	21.8	19.8	−15.0
1993	33.2	56.4	36.7	44.4	22.4	−24.2	22.4	21.2	−12.5
1994	32.1	54.3	34.5	43.1	22.7	−23.9	24.8	23.0	−10.6
1995	28.4	52.2	32.3	42.9	23.0	−24.2	28.7	24.8	−8.1
1996	27.2	50.5	30.8	43.7	23.5	−24.0	29.1	26.0	−6.8
1997	26.8	49.9	31.6	43.6	23.7	−23.8	29.6	26.4	−7.8
1998	25.7	49.8	32.2	43.8	23.5	−22.7	30.5	26.7	−9.5
1999	25.1	50.1	33.6	42.8	23.0	−22.8	32.1	26.9	−10.8
2000	27.1	50.0	34.9	41.3	22.5	−23.4	31.6	27.5	−11.5
2001	24.5	50.0	35.6	41.8	22.3	−22.8	33.7	27.7	−12.8
2002	21.8	50.0	36.3	43.4	21.4	−23.4	34.8	28.6	−12.9
2003	19.7	49.1	36.3	46.6	21.6	−24.4	33.7	29.3	−11.9
2004	19.8	46.9	33.5	46.6	22.5	−23.7	33.6	30.6	−9.8
2005	19.9	44.8	32.6	47.2	23.8	−23.9	32.9	31.4	−8.7
2006	19.7	42.6	31.3	47.5	25.2	−23.5	32.8	32.2	−7.8
2007	18.3	40.8	29.5	47.5	26.8	−21.8	34.2	32.4	−7.7

资料来源:《中国统计年鉴》(2008 年)

从图 3-1 看,中国第一产业正偏离度远高于零,意味着中国第一产业有大量的劳动力需要转移;第二、第三产业的偏离度低于零,说明第二、第三产业对农村劳动力有需求。第二产业的偏离度低于第三产业,说明第二产业的就业空间大于第三产业,也反映出中国第三产业发展滞后。产值结构与就业结构的严重不对称性需要长时间磨合,这意味着中国农村劳动力转移的长期性。

3.2.2 第二、第三产业对农村劳动力的需求不稳定

中国第一、第二、第三产业的就业需求弹性都比较低，对农村劳动力转移吸纳能力有限。就业弹性是研究经济发展与就业增长数量关系的函数，是指劳动力就业的增长率与经济增长率之间的比率，其含义是经济每增长一个百分点，就业增长多少个百分点。一般在经济不断趋向成熟的过程中，就业弹性会有逐渐减小的趋势，就业弹性不断减小说明，每创造一个增量的产值所需要的劳动增量变小了。从表 3-3 中国三次产业的就业弹性看，中国第一产业就业弹性趋于减小，呈现负数，第一产业就业人员逐年减少是总就业弹性下降的直接原因，第一产业内部就业容量有限；第二产业和第三产业的就业弹性波动很大，总体趋势也趋于减小，说明第二、第三产业增长对劳动力的需求不稳定。中国农村劳动力转移呈现"民工潮"、"民工荒"与"返乡潮"交替出现的现象，表明经济发展对农村劳动力需求不稳定。据统计，中国农村外出务工劳动力由 1979 年的不足 200 万人急剧增加到 1989 年的 3000 万人，形成中国独有的"民工潮"。2004 年珠江三角洲出现"民工荒"，反映了供需之间的矛盾和就业结构性矛盾。2009 年在金融危机冲击下，约有 2000 万农民工失去工作而返乡。无论"民工潮"、"民工荒"，抑或是"返乡潮"，无一不是经济社会矛盾运行的结果。从经济角度看，它反映了劳动力市场的供需对比，折射出经济的波动性和不稳定性；从社会角度看，它反映了政策供给的缺失，改革开放30 年，劳动力转移了 30 年，绝大部分农民工仍然无法取得城市身份，候鸟式的往返于城乡之间，没有实现彻底转移，给社会经济带来极大的不确定性，不利于社会经济的和谐发展。

表 3-3　1980～2007 年中国三次产业就业增长产值增长及就业弹性

年　份	第一产业就业增长率/%	第一产业增长率/%	第一产业就业弹性	第二产业就业增长率/%	第二产业增长率/%	第二产业就业弹性	第三产业就业增长率/%	第三产业增长率/%	第三产业就业弹性
1980～1984	1.53	12.82	0.134	5.89	10.30	0.704	8.48	15.59	0.548
1985～1989	1.49	13.06	0.119	4.61	18.70	0.221	5.55	25.41	0.234
1990～1994	2.23	18.04	0.137	5.17	25.91	0.584	9.02	24.67	0.635
1995～1999	-0.46	9.52	-1.090	1.42	13.16	0.069	4.40	16.00	0.254
2000～2004	-0.27	7.98	0.151	0.64	12.56	-0.002	3.69	13.78	0.269
2005～2007	-3.76	9.60	-0.521	6.83	17.99	0.380	2.69	15.74	0.180

资料来源：《中国统计年鉴》（2008 年）

3.2.3 经济增长对农村劳动力需求增长乏力

从表3-4看，中国经济增长速度很快，除了个别年份是以个位数字在增长处，绝大多数年份的增长率都是两位数字。但是乡村就业人口的增长率较低，有些年份出现负数，经济增长快于乡村就业人口增长。中国经济增长和乡村就业人口增长不同步，经济增长快于就业增长。1994年之前，中国经济处于高位增长阶段，这一阶段乡村就业人口增长大约在2%上下徘徊，低于全国就业增长率4%的水平；1994年之后，中国经济增长急剧下降后趋于稳定增长，相应的乡村就业人口处于零增长且有下降的趋势，到1998年乡村就业人口增长出现负增长，从2002年以来到2007年连续6年出现负增长。

表3-4　1978～2007年中国经济增长与乡村就业人数增长

年　份	GDP/亿元	GDP 增长率/%	乡村就业人数/万人	乡村就业人数增长率/%
1978	3 645.2	—	30 638	—
1979	4 062.6	11.449 57	31 025	1.263 137
1980	4 545.6	11.890 1	31 836	2.614 021
1981	4 891.6	7.610 332	32 672	2.625 958
1982	5 323.4	8.827 241	33 867	3.657 566
1983	5 962.7	12.009 36	34 690	2.430 094
1984	7 208.1	20.886 68	35 968	3.684 059
1985	9 016.0	25.082 85	37 065	3.049 933
1986	10 275.2	13.965 59	37 990	2.495 616
1987	12 058.6	17.356 74	39 000	2.658 594
1988	15 042.8	24.747 52	40 067	2.735 897
1989	16 992.3	12.959 64	40 939	2.176 355
1990	18 667.8	9.860 357	47 708	16.534 36
1991	21 781.5	16.679 38	48 026	0.666 555
1992	26 923.5	23.607 08	48 291	0.551 784
1993	35 333.9	31.238 34	48 546	0.528 049
1994	48 197.9	36.406 74	48 802	0.527 335
1995	60 793.7	26.133 68	49 025	0.456 948
1996	71 176.6	17.078 84	49 028	0.006 119
1997	78 973.0	10.953 66	49 039	0.022 436
1998	84 402.3	6.874 808	49 021	−0.036 71
1999	89 677.1	6.249 565	48 982	−0.079 56
2000	99 214.6	10.635 38	48 934	−0.098

年　份	GDP/亿元	GDP 增长率/%	乡村就业人数/万人	乡村就业人数增长率/%
2001	109 655.2	10.523 27	49 085	0.308 579
2002	120 332.7	9.737 36	48 960	−0.254 66
2003	135 822.8	12.872 7	48 793	−0.341 09
2004	159 878.3	17.711 01	48 724	−0.141 41
2005	183 217.4	14.598 01	48 494	−0.472 05
2006	211 923.5	15.667 78	48 090	−0.833 09
2007	249 529.9	17.745 27	47 640	−0.935 75

资料来源：《中国统计年鉴》（2008 年）

　　从图 3-2 看，中国经济增长和乡村就业人口增长不同步，经济增长明显地快于乡村人口的就业增长，经济增长对就业的拉动作用在下降。根据国家统计局公布的数据，"九五"期间 GDP 年均增长 8.6%，年均增加就业人数 804 万人；"十五"期间 GDP 年均增长 9.5%，年均增加就业人数只有 748 万人。不同的时期经济都有增长，但就业增长的效果完全不同，经济增长创造的就业机会不足是影响农村劳动力转移的一个关键因素。进入 21 世纪以来，中央财政收入增长迅猛，国家加大对交通、能源、原材料工业等资本密集行业的投入，长期形成靠投资拉动增长的局面没有根本改变，以服务业为主体的第三产业发展滞后，吸纳劳动力就业能力强的以中小企业为主体的民营经济尚需大力发展。

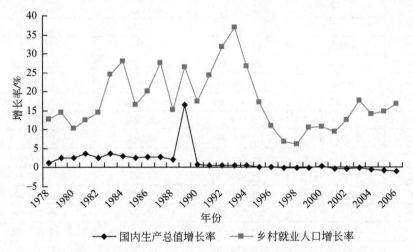

图 3-2　1978～2006 年中国国内生产总值增长率与乡村就业人口增长率

3.3 农村劳动力转移去向的变化

3.3.1 向东部省份集聚，省内就近转移比重减少

农村劳动力转移在空间上有地域性。20 世纪 80 年代以农村内部转移就业为主，90 年代异地转移十分活跃，但仍以在省内转移流动为主，跨省转移增多，主要流向是东部沿海经济发达地区。国家统计局农调总队对全国 31 个省份、6 万多农户、18 万多农村劳动力进行的抽样调查显示，1997 年省内转移比例为 68.7%，向省外转移为 31.3%[①]。进入 21 世纪，这一格局和趋势更加明显。2004 年省内转移比例为 59.1%，省外转移为 40.9%（程名望等，2007）。2005 年中国大部分省份的乡村人口以省内迁移为主，经济发达的广东、上海、浙江和北京等地区，跨省迁移的数量超过了省内迁移，广东省最为明显（图 3-3）。

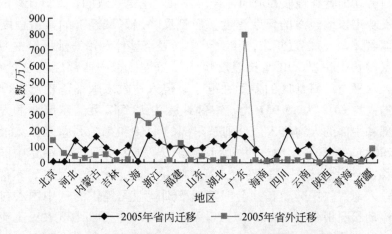

图 3-3　2005 年中国乡村人口省内迁移与跨省迁移数量比较

注：2005 年 1% 人口抽样数据，本书将人口抽样数据扩大 100 倍

2005 年农村劳动力的跨省转移比 2000 年明显增多，说明转移具有向东部集聚的趋势[②]。接收跨省转移的民工数量增加最明显的是广东，其次是上海、浙江、福建和北京（图 3-4）。

[①]　数据来源：2005 全国 1% 人口抽样数据。

[②]　数据来源：2005 全国 1% 人口抽样数据。

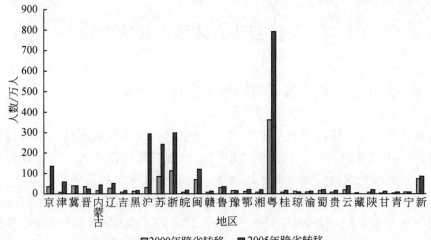

图 3-4　2000 年与 2005 年中国 31 省份跨省转移比较

注：2005 年 1% 人口抽样数据，本书将人口抽样数据扩大了 100 倍

农村劳动力转移规模和流向与经济发展水平是一致的，人口迁移的活跃程度不仅反映出该地经济的繁荣程度，而且反映出区域经济的富裕程度（董峻凯和任丽君，2009）。近年来，相对于中国经济整体和沿海地区，中西部经济经济总量增长很快，GDP 增长速度快于沿海地区，中西部经济总量在扩大，人均收入水平与沿海地区的差距在缩小，但人均收入水平还较低。2008 年西部地区的人均 GDP 为 15 951 元，中部地区为 18 542 元，东部地区为 36 542 元，西部和中部的人均收入，分别是东部的 44% 和 51%，差距仍然很大（蔡昉等，2009）。中国东、中、西三大区域经济发展的不平衡，决定中国农村劳动力转移在空间上具有不平衡性，中西部地区是主要的输出地区，东部地区是主要的输入地区。据劳动和社会保障部培训就业司提供的《中国农村劳动力就业及流动状况报告》（2005 年）显示，2004 年中西部地区农民工流动就业占全国农民工的 57%，而流入东部地区的农民工就业数量占到了全国农民工的 70%，在转向外省的农村劳动力中，转向东部地区的比重为 84.2%，转向中部地区的比重为 7.7%，转向西部地区的比重为 8.1%[①]。

3.3.2　在国有与集体性质企业就业的比例减少

农民工一般是在城镇的初级市场就业，往往收入较低，也不稳定。他们做

---

① 参见：劳动和社会保障部培训就业司的《中国农村劳动力就业及流动状况报告》（2005 年）。

的是城市人不愿意做的苦、脏、累、险的工作，是一种低水平和低层次就业（朱农，2005）。表3-5显示，21世纪以来，城镇单位使用农村劳动力的数量逐年增加，但城镇国有和集体所有制性质的单位使用农村劳动力的数量的绝对量和比重都在下降，两者比重由2000年的60%下降到2007年的24%，民营企业就业比重大幅上升，比重由2000年的40%上升到2007年的76%。转移到城镇的农村劳动力绝大多数都在初级劳动力市场就业，就业弹性比高级劳动力市场的就业弹性大，意味着当城市经济衰退时，农民工就业首先受到较大冲击（王西玉等，2003）。

表3-5　城镇不同性质单位使用的农村劳动力人数及比例

年　份	合　计	国　有		集　体		其　他	
		人数/万人	比重/%	人数/万人	比重/%	人数/万人	比重/%
2000	897.05	341.08	38	200.96	22	355.01	40
2001	903.88	327.27	36	177.98	20	398.63	44
2002	1 002.35	298.82	30	168.99	17	534.54	53
2003	1 143.18	290.62	25	163.78	14	688.77	60
2004	1 318.60	300.12	23	159.54	12	656.93	50
2005	1 523.11	288.66	19	146.50	10	1 087.95	71
2006	1 735.28	298.95	17	151.76	9	1 284.57	74
2007	1 900.06	309.99	16	144.57	8	1 445.50	76

资料来源:《中国人口就业统计年鉴》(2008年)

3.3.3　转移就业以第二产业为主，第三产业稳中有升

关于农民工的就业行业分布，不同部门的调查数据有一定差异，但都反映了以下主要特征：一是以制造业和建筑业为主。第二次全国农业普查结果显示，外出从业农民工中，从事第一产业的占2.8%，从事第二产业的占56.7%，从事第三产业的占40.5%，其中，第二产业内部，从事制造业的占35.7%，从事建筑业的占20.5%。二是从事制造业的农民工比重最高，但就业增长开始放缓，建筑业就业比重稳中有降，服务业就业比重稳中有升。农业部2005年的调查表明，农村外出就业农民工中从事工业和建筑业的比重，分别比2004年下降了3.0和2.6个百分点，而从事商业饮食服务业的比重比2004年上升了5.6个百分点。三是外向型制造业和城市服务业的就业比重逐步上升，在制造业内部，逐步向电子电器业、制衣制鞋业、机械制造业等外向度较高的行业集中。劳动和社会保障部的调查表明，2006年农村外出务工人

员从业较为集中的行业是电子电器业（13.5%）、制衣制鞋业（11.7%）、住宿餐饮业（9.4%），机械制造业（6.2%）、食品制造业（4.9%）、交通运输业（4.3%）、居民服务业（4%）等。1982～2006年乡镇企业就业情况见表3-6。乡镇企业就业人数在第二产业的比重从1988年的76%下降到1994年的71%，再降到2006年的67%；第三产业就业比重从1988年的22%上升到1994年的26%，再上升到2006年的31%。

表3-6　1982～2006年中国乡镇企业就业人数

年　份	农林牧渔业		工业企业		建筑业		交通运输		批　发		住宿及餐饮		社　会		其他企业	
	就业人数/万人	所占比例/%	就业人数/万人	所占比例/%	就业人数/万人	所占比例/%	就业人数/万人	所占比例/%	就业人数/万人	所占比例/%	就业人数/万人	所占比例/%	就业人数/万人	所占比例/%	就业人数/万人	所占比例/%
1982	344	11	2 073	67	421	14	113	4	162	5	—	—	—	—	—	—
1985	252	4	4 137	59	790	11	114	4	1 686	24	—	—	—	—	—	—
1988	250	3	5 703	60	1 485	16	684	7	1 423	15	—	—	—	—	—	—
1991	243	3	5 814	61	1 384	14	732	8	1 436	15	—	—	—	—	—	—
1994	261	2	6 962	58	1 622	13	726	6	1 615	13	418	3	—	—	415	4
1997	277	3	6 149	67	1 273	14	382	4	623	7	348	4	—	—	106	1
2000	222	2	7 467	58	1 581	12	899	7	1 557	13	864	7	—	—	230	2
2001	200	2	7 615	58	1 564	12	903	7	1 644	13	925	7	—	—	235	2
2002	205	2	7 668	58	1 460	11	862	6	1 691	13	831	6	302	2	269	2
2003	290	2	7 856	58	1 408	10	848	6	1 673	13	830	6	380	3	286	2
2004	285	2	8 161	59	1 376	10	845	6	1 699	13	818	6	426	3	257	2
2005	285	2	8 452	58	1 363	10	847	6	1 785	13	854	6	419	3	268	2
2006	273	2	8 503	58	1 267	9	947	6	1 958	13	887	6	537	4	308	2

资料来源:《中国统计年鉴》(2007年)

　　新时期，在城镇单位使用的农村劳动力中，转移的领域以第二产业为主，第三产业不断上升（表3-7）。其转移就业的主要领域仍旧是制造业和建筑业，2007年，两者合计占76.9%，第三产业就业的比重为15.9%。中国需要大力发展第三产业，充分发挥第三产业在就业方面的作用，因为中国第三产业的就业弹性大，在吸纳农村劳动力就业方面还有很大的空间。

表 3-7　各行业城镇单位使用的农村劳动力年末人数

行　业	2003 年		2004 年		2005 年		2006 年		2007 年	
	人数/人	所占比例/%	人数/人	所占比例/%	人数/人	所占比例/%	人数/人	所占比例/%	人数/人	所占比例/%
合计	11 431 773	—	13 185 972	—	15 231 102	—	17 352 775	—	19 000 562	—
农、林、牧、渔业	412 318	3.6	441 791	3.4	417 400	2.7	434 369	2.5	451 006	2.4
采矿业	475 036	4.2	553 959	4.2	642 144	4.2	793 540	4.6	777 239	4.1
制造业	5 458 555	47.8	6 797 493	51.6	8 235 387	54.1	9 492 469	54.7	10 373 987	54.6
电力、燃气及水的生产和供应业	123 018	1.1	107 244	0.8	116 411	0.8	127 682	0.7	134 365	0.7
建筑业	2 904 030	25.4	2 974 683	22.6	3 281 486	21.5	3 778 394	21.8	4 241 637	22.3
交通运输、仓储和邮政业	258 284	2.3	263 474	2.0	290 053	1.9	327 749	1.9	339 235	1.8
信息传输、计算机服务和软件业	26 790	0.2	35 683	0.3	35 024	0.2	37 482	0.2	44 534	0.2
批发和零售业	246 567	2.2	282 837	2.1	316 683	2.1	345 985	2.0	388 785	2.1
住宿和餐饮业	264 025	2.3	327 016	2.5	356 464	2.3	379 384	2.2	425 968	2.2
金融业	102 658	0.9	109 700	0.8	103 275	0.7	112 441	0.7	126 733	0.7
房地产业	117 951	1.0	154 995	1.2	182 916	1.2	222 889	1.3	257 970	1.4
租赁和商务服务业	213 074	1.9	254 866	1.9	335 335	2.2	322 725	1.9	431 968	2.3
科学研究、技术服务和地质勘察业	36 099	0.3	53 336	0.4	49 643	0.3	54 691	0.3	62 671	0.3
水利、环境和公共设施管理业	152 949	1.4	167 331	1.3	190 384	1.3	213 223	1.2	227 621	1.2
居民服务和其他服务业	43 730	0.4	59 168	0.5	67 793	0.5	73 145	0.4	87 941	0.5
教育	279 880	2.5	278 663	2.1	274 738	1.8	264 090	1.5	261 684	1.4

行　业	2003 年		2004 年		2005 年		2006 年		2007 年	
	人数/人	所占比例/%	人数/人	所占比例/%	人数/人	所占比例/%	人数/人	所占比例/%	人数/人	所占比例/%
卫生、社会保障和社会福利业	89 105	0.8	90 542	0.7	93 209	0.6	102 698	0.6	104 224	0.6
文化、体育和娱乐业	33 031	0.3	38 242	0.3	37 779	0.3	42 059	0.2	47 643	0.3
公共管理和社会组织	194 673	1.7	194 949	1.5	204 978	1.4	227 760	1.3	215 351	1.1

资料来源：《中国人口就业统计年鉴》（2008 年）

3.4　农村劳动力转移方式的变化

3.4.1　由兼业式为主逐步转为全职式就业

　　农村剩余劳动力转移方式的变化受经济规律和客观经济条件的制约，在经济发展的不同阶段，转移方式的选择不同。中国农民外出务工最初主要表现形态为"兼业式"流动，即农民外出务工以年为周期在城乡和地区之间往来。中国农村劳动力大部分在转入非农产业部门时并没有完全脱离农业，每年除在外务工外，农忙季节都要回家从事农业生产。这种候鸟式的人口流动在就业上是不稳定的，也不能真正推动中国经济结构的转变和城市化水平的提高。进入21世纪，随着中国工业化和城市化程度的提高，全职式就业的劳动力规模不断扩大，所占比重将逐步上升。根据国务院发展研究中心"关于推进社会主义新农村建设"课题组的研究调查，2006 年常年外出打工的农村劳动力转移率平均为 18.1%，其中东部的劳动转移率最高，为 23.55%，并且还将继续增长。2006 年在全国外出务工的劳动力中，东部地区务工的劳动力为 7404 万人，增长 4.8%，占外出务工劳动力的 70.1%（韩俊等，2009）。数据表明越来越多的农村劳动力由"兼业式"向"全职式"转变，"兼业式"比重下降。在非农产业的全部农村劳动力中，60% 是"兼业式"转移，将近 40% 的劳动力属于常年在外务工，属于"全职式"（崔传义，2001）。农业部 2005 年的调查显示，外出就业农民工有稳定就业岗位的占57.8%，比2002年提高了6.6个百分点，完全脱离农业生产、长年在外打工的农民工已经占到较大比重。

3.4.2 由体力型就业逐步转变为技能型就业

第二次全国农业普查结果表明，在外出从业农民工中，初中及以下文化程度的占80.1%，高中以上文化程度的不到20%。在全部初中及以上文化程度的农村劳动力资源中，外出就业的比重为33%。如果再考虑本地非农就业的农民工，并假定其文化程度构成与外出农民工类似，则初中及以上农村劳动力有近60%转移到非农产业。经济发展水平提高，产业结构转型升级，对劳动力素质的要求越来越高，缺乏职业技能的农村劳动力，其转移就业领域将受到很大限制，从2002年开始，劳动力市场出现了熟练技术工人供不应求的现象，因此，近年来各级政府加大对农民工的培训力度，各类培训项目共培训农民工2300万人，这些培训对劳动力人力资本提升和增加就业机会发挥积极作用。现阶段，在外出务工劳动力中，接受过专业技术培训的劳动力逐年增加，农民工职业技能明显提高，就业竞争力不断增强。统计显示，2009年在1.45亿外出务工农村劳动力中，高中及以上文化程度占23.5%，有48.9%接受过职业技能培训，另据对沿海地区的调查，接受过职业培训、有一技之长的农民工数量在增加。

3.4.3 由农业劳动力只身就业逐步转变为举家迁移就业

随着时代的发展，赚钱不再是农民工外出务工的唯一目的，在获取更多经济收入的同时，农民工开始并日益注重家庭成员的团聚、子女的教育以及家庭生活水平的改善与提高。农民工群体正在发生重要的结构性变化，从以前男劳动力外出"独闯"逐渐演变成现在夫妻二人同时外出务工以及携子女外出流动，农民工家庭化迁移的趋势明显，举家外出、完全脱离农业生产和农村生活环境的农民工已经占到一定比例。根据对全国31个省份6.8万个农村住户和7100个行政村的抽样调查，2005年农村外出务工的劳动力为12 650万人，其中，农村常住户（居住在乡镇行政管辖区域内的住户）外出务工的劳动力为10 030万人，举家在外务工（整户离开居住地到居住地所属乡镇行政管辖区域以外务工）的劳动力为2600万人。从国务院发展研究中心课题组的调查结果看，2006年全国举家外出的劳动力占全部农村劳动力的平均比重为5.29%，东部地区举家外出率为4.71%，而西部地区举家外出率为6.61%。数据表明，经济发展水平高低与举家外出率呈负相关，经济越发达，外出率越低。农民工居住形态的稳定性也在不断提高，据浙江省的统计数据显示，2009年农民工居住在出租房屋和单位内部宿舍的比例逐年增加，并且已经占到农民工总数的86.37%，常年在非农产业就业的比例达70%以上，而举家外出就业比例和融入城市的程度也在逐步提高，常年外出的劳动力中有1/3实现了举家外迁（崔传义，2007）。

3.5　本章小结

改革开放以来，中国农村外出劳动力规模逐年扩大。20世纪80年代主要是就近转移到乡镇企业，到了90年代初期，开始大规模跨地区转移。受经济政策的影响，中国农村劳动力转移总体上经历了有限制的流动阶段、允许流动阶段、控制盲目流动阶段、规范流动阶段和相对公平流动阶段。进入21世纪，中国农村劳动力转移呈现新的特点。

1）劳动力供给发生变化。中国农民工劳动力市场从需求主导转向供给主导，劳动力市场供需失衡，"民工荒"现象是中国劳动力市场供需失衡的表现；年轻劳动力供给由无限供给转变为有限供给，随着新增劳动力的逐步减少，劳动力总量中年轻劳动力的比重进一步降低，年轻劳动力短缺的情况将会呈现加剧的趋势；农民工市场结构发生转型，新生代农民工成为主体，新生代农民工对收入要求、未来预期、流动定居等都有别于老一代农民工，时代发展呼唤政策和制度的变革以适应他们的需要。

2）劳动力需求发生变化。农民工成为城镇劳动力市场不可或缺的组成部分，目前中国产业工人总数的2/3来自农村，农民工已成为中国产业工人队伍的主力军。中国第二、第三产业的偏离度低于零，说明第二、第三产业对农村劳动力是有需求的。如果国民经济各产业都是开放的，产业间没有行政壁垒，即呈完全竞争状态，那么通过市场对劳动力资源的重新配置，会使各产业的生产率逐步趋于一致，各产业的结构偏离度也就逐步趋于零。但是中国第二产业和第三产业的就业弹性波动很大，总体趋势也是趋于减小，说明第一产业内部就业容量有限，第二、第三产业增长对劳动力的需求不稳定。中国经济增长没有创造足够的就业机会，经济增长对农村劳动力需求增长乏力。

3）农村劳动力转移去向的变化。农村劳动力转移在空间上有地域性，当前仍旧是向东部地区集聚，省内就近转移就业比重减少；在国有集体性质企业就业的比例减少，农民工一般是在城镇的初级市场就业，就业弹性比高级劳动力市场的就业弹性大，这意味着当城市经济衰退时，农民工首先受到影响。农村劳动力转移就业以第二产业为主，第三产业稳中有升，第二产业又以制造业和建筑业为主。在服务业内部，农村劳动力逐步向住宿、餐饮、娱乐、家政、保安、环境卫生等城市服务业集中。

4）农村劳动力转移方式的变化。由兼业式为主逐步转为全职式就业；由体力型就业逐步转变为技能型就业；由农业劳动力只身迁移就业逐步转变为举家迁移就业，在获取更多经济收入的同时，农民工开始并日益注重家庭成员的团聚、子女的教育以及家庭生活水平的改善与提高。

第4章
跨省转移与个体意愿

跨省转移增多是中国新时期农村劳动力转移的特点之一。根据 2005 年 1% 人口抽样调查数据显示，乡村人口跨省转移占 48.4%。在相同的制度环境下，外出劳动力选择跨省转移的数量为什么会增加？本章从劳动力转移意愿方面作分析。农村劳动力外出务工不是盲目的，而是有明确的动因和目标，并且他们会根据形势不断地调整自己的目标和行动。新经济迁移理论（the new economics of labor migration）认为，个人迁移决策往往与家庭有着很大的关系，迁移决策是由家庭成员共同决定做出的。迁移的动机不仅来自城乡两地的收入差距，也来自个人或家庭因素，该理论将迁移视为一个有内在联系的群体（家庭或家族）的决策。

蒋乃华和封进（2002）对江苏的农村劳动力转移意愿进行探讨，认为处于不同经济发展阶段和地区的农户的进城意愿不同。吴秀敏等（2005）对成都市农户迁移意愿进行的实证研究表明，农户的迁移意愿是受到个人特征及家庭因素的影响。现有研究的对象仅限于农户外出与不外出的意愿，本章试图分析个体及家庭因素对跨省转移意愿的影响，因为相对于省内转移，跨省转移是程度更深的转移，它关系到区域的协调发展，这一问题的研究也有利于规范农民外出行为和制定科学的农村劳动力流动转移政策。本书调查的样本均为外出打工人员，为了使样本具有一定的代表性，笔者选取东部、中部和西部共计 6 省的农户进行问卷调查。

4.1 基本假设

假设1：农村劳动力跨省转移意愿与文化程度正相关。舒尔茨认为人的知识与技能是一种资本，人力资本是由对自身的投资所获得的有用能力所组成的。个人拥有的技能与资源是影响农村劳动力转移路径的内在因素，农村劳动力自身的文化程度和年龄等会影响他们跨省转移的意愿。一般来说，文化程度越高，人力资本越高，跨省打工的可能性就越大。理论研究和经验证实，文化程度高的劳动力比较容易找到工作，收入水平也相对较高，比较容易实现由农村向城市的转移（Becker，1979）。教育有利于降低找工作的信息成本，增加就业的可能性（Schwartz，1970）。

假设2：农村劳动力跨省转移意愿与其从事的工作性质有关。农村劳动力转移过程是以资本为主的生产要素同步流动的过程，性质不同的企业在扩大再生产时所需的资金投入是不同的。据测算，乡镇企业每增加一个劳动力就业需投资8000~12 000元，国有企业则更高。因此，不同性质的企业，对劳动力的需求量不同，加之农村劳动力的人力资本不同，因此所从事工作的性质对农民工是否跨省转移有一定的影响。

假设3：农村劳动力跨省转移意愿与转移就业收入和打工年限正相关。城乡收入差别越大，农村劳动力越有转移流动的意愿，在城市的收入越高，越倾向于留在城市。在城市打工收入的高低和打工年限是农村劳动力转移程度的标志之一，在城市打工收入越高，打工年限越长，则对城市社会的适应性就越强，人力资本和物资资本的积累能力就越强，选择跨省转移的机会可能就越大。

假设4：农村劳动力跨省转移意愿与年龄负相关。根据国家统计局的调查，2005年，近85%的外出务工劳动力具备初中以上文化程度，留在农村的劳动力中80%以上是小学文化程度。劳动迁移理论认为，年龄小的人群往往更倾向于远距离的迁移。年轻人对传统农业生产有一种反叛心理，他们比年老者更容易转移，年龄越小，越有出去成就一番事业的雄心，以实现自己一个完整的职业生命周期。对于年老者，能够从事的职业没有年轻人广，在外面工作年限不长，收益时间短，外出成本较高，所以年轻人比年长者更容易实现跨省转移。

假设5：农村劳动力跨省转移意愿与务农收入负相关。中国农村劳动力流动决策与家庭利益最大化联系在一起，同时以获取经济收入为最直接目的（杜鹰，1997）。家庭年收入会影响到农村劳动力外出的决策，家庭农业收入越少，他们就越需要外出打工赚钱。斯塔克的相对贫困理论指出，由于年收入较多，相对于其他收入不如自己的农户来说，他们的相对收入和在乡村的经济地位较高，容易让他们产生成就感和满足感，因而会减少外出打工。家庭中非农收入比重越高，说明当地的非农经济越发达，人们会考虑就近非农就业，农村劳动力外流与家庭的非农收入成反比。一些学者发现，经济发达地区，非农产业也发达，农村劳动力外出打工意愿降低。

假设6：农村劳动力跨省转移意愿与家庭耕地负相关。学者在研究耕地数量与劳动力流动关系时，一般认为，农村劳动力流动是因为本地占有的耕地资源少、收入少，并且出现劳动力剩余；相反，家庭的耕地越多，需要的劳动力越多，外出打工的劳动力会越少。姚洋（2002）在研究耕地与农民外出的关系时，排除耕地越少越容易流动的观点，提出倒"U"字假说，即耕地较少的农民外出打工的意愿较低，耕地拥有量居中的农民外出打工的意愿较强。这是因为耕地拥有量对外出打工同时具有收入效应和替代效应。前者鼓励农民外出打工，后者则阻碍农民外出打工。

假设7：农村劳动力跨省转移意愿与家庭在外打工人数正相关。本书调查数据显示，绝大多数家庭都有一人在外打工。由于家庭成员的示范效应和连带效应，先外出的劳动力除了将收入的积累汇到家中外，还会将外面的信息传递给家人，我们常看到家中先出去的人陆续将家中其他人带出去的情况。因此，家庭在外打工的劳动力人数与流动的可能性成正比。

4.2 假设的检验：Logit 的决策模型

4.2.1 样本与数据来源

本书的调查资料来自于 2008 年 8 月对影响农村劳动力转移意愿的个体特征及家庭因素分析所做的随机抽样调查。调查主要选择了湖北、湖南、山西、山东、云南和重庆 6 个省（直辖市）作为调研地区，主要是考虑这些地区比较有代表性，它们分别代表了中部、东部和西部地区，调查的对象是外出打工人员。调查主要采用了随机抽样法、观察法、问卷调查法等。在调查过程中，总共发放问卷 401 份，问卷回收率为 100%，符合本书界定的有效问卷 381 份，问卷有效率为 94.5%。其中，男性 221 人，占总样本的 58.1%；女性 160 人，占总样本的 41.9%。样本地区分布体情况见表 4-1，问卷见附录二。

表 4-1　调查样本的数量与地区分布　　　　（单位：人）

项　目	湖北省	湖南省	山西省	山东省	云南省	重庆市
样本量	146	52	65	54	44	42

4.2.2 变量设定

1）因变量设为跨省转移与省内转移的行为意愿。跨省转移与省内转移的行为是农村劳动力转移意愿的反映，笔者以它作为因变量，进而研究个体和家庭因素对其行为决策的影响。调查样本是常年在外工作或者打工者，他们打工或工作的地点不是本省就是外省，因此因变量是个二分变量。相对于省内转移,跨省转移是程度更深的转移,因此本书将被解释变量设为外出打工是否是跨省转移,"是"=1,"否"=0;解释变量是外出打工的个人及家庭因素,利用 Logit 模型对提出的假设进行检验。

2)自变量设为个体特征及家庭因素。根据国内外同类研究的经验以及中国的国情,本书将文化程度、打工者年龄、所在的工作单位性质、打工收入、打工年限、家庭年收入、家庭非农收入比、家庭耕地面积和家庭在外打工人数作为可能影响农村劳动转移的自变量,分别设为 $x_1 \sim x_9$。在回归模型中,偏回归系数 β_i 表示当其他自变量不变时,x 每改变一个单位,所预测的因变量的平均变化量。这种解释在自变量是连续变量或二分类变量时是合适的,但当自变量为多分类时,只用一个偏回归系数解释就不合适了。在回归前需要对多分类自变量设置哑变量。考虑到哑变量设置对参照水平组有一定的频数要求,自变量 x_1(文化程度)、x_2(打工者年龄)、x_3(工作单位性质)、x_4(打工收入)、x_6(家庭年收入)、x_8(家庭耕地面积)及 x_9(家庭在外打工人数)为多分类变量,均以第二选项为参照水平组。根据研究目标和对问卷调查数据的归纳整理,得到农村劳动力外出决策模型的变量名与变量设置(表4-2)。

表4-2 外出打工人员跨省转移决策模型中变量名与变量设置

变量类型	变量名	变量设置	变量类型	变量名	变量设置
个人特征	文化程度 x_1	1 = 小学及以下	个人特征	打工年限 x_5	1 = 5 年以上
		2 = 初中			2 = 5 年以下
		3 = 高中及以上	家庭特征	家庭年收入 x_6	1 = 1 万元以下
	打工者年龄 x_2	1 = 20 岁以下			2 = 1 ~ 2 万元
		2 = 20 ~ 40 岁			3 = 2 万元以上
		3 = 40 岁以上		非农收入比 x_7	1 = 2/3 以上
	工作单位性质 x_3	1 = 个体			2 = 2/3 以下
		2 = 国有企业		耕地面积 x_8	1 = 2 亩以上
		3 = 私营企业			2 = 2 亩以下
		4 = 国家机关			3 = 其他
		5 = 其他		外出人数 x_9	1 = 1 人及以下
	打工收入 x_4	1 = 1 万元以下			2 = 2 人
		2 = 1 万 ~ 2 万元			3 = 3 人及以上
		3 = 2 万元以上			

注:根据调查数据,利用 excel 整理;1 亩 ≈ 666.67 m^2

4.2.3 Logit 决策模型

Logit 回归分析是适用于反应变量（因变量）为分类变量的回归分析，近年来在许多领域得到了广泛的应用。

Logit 回归按照反应变量的类型可以分为：两分类反应变量的 Logit 回归，多分类有序反应变量的 Logit 回归，多分类无序反应变量的 Logit 回归。Logit 回归分析一般可以通过调用 SAS 的 LOGISTIC 过程完成。

本书在变量描述的基础上构造一个综合分析模型，验证影响劳动力跨省转移意愿的相关假设。属于 Logit 回归中的多分类无序反应变量的 Logit 回归。目前处理分类因变量常采用 Logit 模型，"1"表示跨省转移，"0"表示省内转移，解释变量主要包括个人特征和家庭因素。Logit 模型是概率单位模型，可以分析具有不同特征的劳动力选择跨省转移或省内转移的概率，分析什么样的农村劳动力更可能跨省转移，Logit 模型经过变换，得到如下形式：

$$\ln[p/(1-p)] = \beta_0 + \beta_1 x_1 + \cdots + \beta_p x_p \tag{4-1}$$

根据 Logit 变换的定义，即

$$\text{Logit}(p) = \ln[p/(1-p)] \tag{4-2}$$

$p/(1-p)$ 称为发生比（Odds），即某事件出现的概率与不出现的概率之比，本书就是指农村劳动力跨省迁移与省内迁移的发生比。将式（4-2）代入式（4-1）并运算可得

$$p = [\text{Exp}(\beta_0 + \beta_1 x_1 + \cdots + \beta_p x_p)/(1 + \text{Exp}(\beta_0 + \beta_1 x_1 + \cdots + \beta_p x_p))]$$

$$\tag{4-3}$$

由于因变量是二分类的，Logit 回归模型的误差项应当是服从二项分布，而不是正态分布。因此，该模型不适合使用最小二乘法进行参数估计，而适合用最大似然法。由于模型中使用了 Logit 变换，各自变量的偏回归系数 β_i（$i = 1, \cdots, p$）表示的是自变量 χ_i 每改变一个单位，农村劳动力跨省转移与非跨省转移（省内转移）的发生比（Odds）的自然对数值的改变量。Exp（β_i）为发生比率（Odds ratio，即 OR 值），表示的是自变量 x_i 每变化一个单位，农村劳动力跨省转移出现概率与省内转移出现概率的比值是变化前的相应比值的倍数。当跨省转移的概率较小时（一般认为小于 0.1），OR 值大小和发生概率之比是非常接近的，因此就可以近似地认为转移的发生率为变化前的 OR 值，该模型的回归结果中还提供了用于检验模型预测准确度的指标。

4.3 计量结果及分析

为了对 Logit 回归模型进行有意义的解释,模型中所包含的自变量必须对因变量有显著的解释能力。在 Logit 回归中,用来检验"除常数项以外的所有系数都等于 0"的无关假设的检验是似然比检验(likelihood ratio test)。它可以用来检验 Logit 回归模型统计性是否显著。似然比统计量近似地服从于 χ^2 分布(William,1990)。如果模型 χ^2 的统计性显著,我们便拒绝零假设,认为自变量所提供的信息有助于我们更好地预测事件是否发生。

笔者用 Logit 模型来拟合调查所获取的数据,模型的检验结果见表4-3。在对该模型进行统计检验时,发现似然比检验(likelihood ratio test)中 χ^2 的统计量为 46.2393,而 $P\{\chi^2 > 46.2393\} = 0.0003$,远小于边界值 0.05,同时 score 的 χ^2 的统计量为 40.3736,P 值为 0.0019,小于 0.05,即检验结果均落入了拒绝域,故可推翻原假设,认为所建立的 Logit 模型是合理的。

表 4-3　Logit 模型的检验结果

统计量	统计值	P 值	模型成立与否判断
likelihood ratio test	46.239 3	0.000 3	拒绝原假设,认为模型成立
score	40.373 6	0.001 9	拒绝原假设,认为模型成立

表 4-4 为调查问卷 Logit 模型中 9 个变量的参数估计及显著性检验。结果显示,农村劳动力跨省转移意愿与打工者的文化程度、年龄、家庭中外出劳动力数量和在国家机关或其他单位打工没有显著相关性,这有些出乎我们的预料。或许,文化程度、年龄和家庭中外出劳动力数量对农民外出务工有关系,但已经外出的务工人员,他们的文化程度、年龄和家庭中外出劳动力数量对其决定是跨省转移还是省内转移没有显著影响。在国家机关或其他单位的打工人员一般来自当地,对跨省转移意愿也没有影响。

表 4-4　影响农民工跨省转移意愿的 Logit 模型回归结果

影响因素	回归系数	卡方值	P 值	OR 值(Exp(B))
常数项	2.776 1	11.332 1	0.000 8 **	16.056 3
文化程度(初中)				
小学及以下	-0.130 8	0.056 8	0.811 6	0.877 4
高中及以上	-0.401 2	0.807 6	0.368 8	0.669 5
打工者年龄(20~40 岁)				

影响因素	回归系数	卡方值	P 值	OR 值（Exp（B））
在 20 岁以下	−1.094 3	2.003 7	0.156 9	0.334 8
在 40 岁以上	−0.223 3	0.095 1	0.757 8	0.799 9
工作单位性质（国有企业）				
个体	−2.254 4	5.503 6	0.019 0*	0.105
私营企业	−2.489 0	7.942 7	0.004 8**	0.083
国家机关	11.220 7	0.000 1	0.990 5	74 660
其他	−0.641 4	0.287 0	0.592 2	0.52 7
打工收入（1 万 ~ 2 万元）				
在 1 万元以下	0.912 4	3.348 2	0.067 3	2.490 3
在 2 万元以上	1.671 9	7.507 0	0.006 1**	5.322 3
打工年限（5 年以下）				
打工 5 年以上	0.821 7	4.326 9	0.037 5*	2.274 4
家庭年收入（1 万 ~ 2 万元）				
1 万元以下	−1.106 0	3.974 7	0.046 2*	0.330 9
2 万元以上	−1.338 4	8.414 0	0.003 7*	0.262 3
家庭非农收入比重（2/3 以下）				
在 2/3 以上	−1.067 8	5.123 3	0.023 6*	0.343 8
家庭耕地面积（2 亩以下）				
2 亩以上	−1.295 2	4.819 6	0.028 1*	0.273 8
其他	−0.615 2	0.812 3	0.367 4	0.540 5
家庭在外打工人数（2 人）				
1 人及以下	0.143 6	0.107 8	0.742 6	1.154 4
3 人及以上	−0.495 1	0.915 4	0.338 7	0.609 5

注：各影响因素后括号里的项为参照项；参照项的发生比率默认为 1；＊表示在 5% 水平上显著；＊＊表示在 1% 水平上显著；不带＊的 P 值 >0.05，表示没有通过检验，对应的 OR 值没有意义

　　农村劳动力就业的单位性质、打工收入、打工年限、家庭年收入、家庭非农收入比和家庭耕地面积对他们跨省转移意愿影响显著，其影响及程度分析如下。

　　第一，工作单位性质影响农村劳动力跨省转移意愿。工作单位性质的统计检验在 5% 的水平上显著的只有个体和私营企业这两种情况，其系数的符号都为负。在其他条件不变的情况下，单位性质对农村劳动力跨省转移意愿有负的作用，说明从事个体或在私营企业就业的农村劳动力更愿意在省内转移。当工作单位为个体时，农村劳动力跨省转移的发生比率为 10.5%，即其转移的发生比率是参照类（国有企业）的 10.5%；而当工作单位性质为私营企业时，

其转移的发生比率是参照类（国有企业）的 8.3%。

第二，打工收入越高和年限越长对农村劳动力跨省转移意愿影响越大。模型估计结果是，打工收入在 1 万元以下对是否跨省转移没有显著影响，打工收入在 2 万元以上对是否跨省转移有显著影响，而且是一种积极影响，其作用系数约为 1.67。打工收入在 2 万元以上的农村劳动力跨省转移的发生比率是参照类（打工收入在 1 万~2 万元）的 5.32 倍。跨省转移是一种成本较高，距离较长，较彻底的迁移，需要一定的条件如个人素质、从业经验、经济能力（朱农，2005），从这个意义上讲，打工收入在 2 万元以上的人较比照组更具有相对优势。打工年限的统计检验在 5% 的水平上显著，其系数为正，在其他条件不变的情况下，打工年限在 5 年以上的人更倾向于跨省转移。打工年限在 5 年以上的人，其跨省转移的发生比率为 2.2744，这表明，外出打工年限超过 5 年的人，其跨省转移远远超过省内转移，其转移就业趋于稳定。

第三，家庭年收入对劳动力跨省转移的影响呈现倒 U 形。年收入在 1 万元以下和 2 万元以上的统计检验在 5% 水平上都显著，且系数符号都是负的，相对于比照组，年收入在 1 万元以下和 2 万元以上的劳动力倾向于省内转移。在其他条件不变的情况下，家庭年收入在 1 万元以下和 2 万元以上的人跨省转移意愿的发生比分别是参照类（1 万~2 万元）的 33.09% 和 26.23%。可能原因是家庭收入低于 1 万元的人，获取收入的能力不如收入在 1 万~2 万元的人，基本选择留在家乡；对于家庭收入在 2 万元以上的人，在家乡已经有能力获得较好的收入和较高的社会地位，而外出存在很大的风险，留在家乡的可能性较大。在其他条件不变的情况下，家庭非农收入比在 2/3 以上的人转移的发生比率是参照类（家庭非农收入比在 2/3 以下）的 34.38%，即家庭非农收入比越高的人，越愿意选择留在省内转移。

第四，家庭耕地面积越大，跨省转移意愿越低。模型的估计结果是，只有家庭耕地面积在 2 亩以上才对跨省转移与否的选择有显著影响，而且这种影响是一种负面影响，因为其作用系数为 −1.2952，即家庭耕地面积在 2 亩以上的劳动力不愿意跨省转移，而是更愿意留在省内。家庭耕地面积在 2 亩以上的跨省转移的发生比率是参照类（家庭耕地面积在 2 亩以下）的 27.38%，说明家庭耕地面积越大，跨省转移意愿越低。

4.4 本章小结

本书根据新人口迁移理论和人力资本理论，分析了个人禀赋差异及家庭因素对农村劳动力跨省转移意愿的影响，采用 Logit 决策模型对 6 省农户调查的数据进行实证研究，本章研究的主要结论如下。

1）相对于国有企业，在私营企业和个体企业就业的农村劳动力更倾向于在省内转移。因此，各地应积极发展民营经济和其他非国有经济，以中小型企业为主的加工业与服务业能创造更多的就业岗位，应充分发挥民营经济和非国有经济在吸纳农村劳动力中的积极作用。

2）打工收入越高、打工年限越长的农民工越倾向于跨省转移。打工收入在1万元以下对跨省转移没有显著影响，但打工收入在2万元以上对跨省转移有显著影响，因此，提高农民工工资待遇、改善他们的生活条件对农村劳动力稳定彻底的转移具有积极作用。在其他条件不变的情况下，打工年限在5年以上的人更倾向于跨省转移，因此，政府需要统筹城乡户籍管理制度，给在城市打工多年的农民工市民身份，加快农民工市民化进程。

3）家庭年收入对劳动力跨省转移的影响呈现倒U形。年收入在1万元以下和2万元以上的农村劳动力都愿意在省内转移，这一研究结论与国内部分学者的研究结论基本一致，与斯塔克的人口迁移理论中的结论也是一致的。因此，应该大力发展乡镇企业和农村非农经济，鼓励在家乡从事农业生产的农村劳动力实施多种经营方式，统筹安排农业生产和非农业生产。

4）家庭耕地面积越大，跨省转移意愿越低。模型计算的结果是，家庭耕地面积在2亩以上的劳动力不愿意跨省转移，而是愿意留在省内。为此，政府一方面应建立土地流转机制，实现土地的规模经营，另一方面要建立农村居民的社会保障机制，弱化土地的社会保障功能。利用机械化生产，提高劳动生产效率，从而更广泛地解放农村劳动力，引导农村劳动力合理有序地向城镇第二、第三产业转移，实现农村劳动力资源在区域间和产业间的优化配置。

第 5 章
东部集聚与吸引因素

向东部集聚是中国新时期农村劳动力转移的又一特点。劳动和社会保障部培训就业司提供的《中国农村劳动力就业及流动状况报告》显示，2004 年，在转向外省的农村劳动力中，转向东部地区的比重为 84.2%。这一现象虽然是人口在地理上再分布的过程，但它又反映了中国经济、社会的演变，是中国经济在向市场经济过渡过程中的一种深层次的转变。市场力量的作用一般趋向于强化区域间的不平衡。区域经济发展是不平衡的经济进步不可能在任何地方同时出现，而且它们一旦出现，强有力的因素必然使经济增长集中在起点附近。当某些区域的空间聚集形成累积发展之势时，就会获得比其外围地区强大得多的经济竞争优势，形成区域经济体系的中心。

中国农村劳动力向东南沿海迁移的愿望非常强烈，这一迁移特点有着深刻的经济、文化、政策、制度和历史等原因。东南沿海对外开放早，城市工业基础雄厚，农村非农产业比较发达和人口规模大，这些都是影响劳动力流动的重要因素。朱农（2005）用 1990 年人口普查和 1995 年 1% 全国人口抽样调查的数据，引入迁入地和迁出地特征的比值，以及省际特征比值与个人特征的乘积，借助二向 Logit 模型和条件 Logit 模型研究了迁入地的哪些特征能够吸引迁入者。本书主要从迁入的角度，用 2005 年 1% 全国人口抽样调查的数据以及 Logit 模型，探讨农村劳动力向东部转移意愿与东部省市经济人口的关系。

5.1 基本假设

假设 1：农村劳动力向东部集聚与东部省份第二、第三产业及 GDP 增长正相关。从发达国家走过的历程看，城市工业的扩张导致第二产业中就业岗位的增加。刘易斯强调工业对农业剩余劳动力的吸收，认为工业化是农业剩余劳动力迁移的原动力。托达罗认为，发展中国家城市中存在着一个二元经济：城市非正规部门和城市的正规部门（工业），农村劳动力进城先进入非正规部门就业。目前大多数外来劳动力在建筑业和城市的传统服务业工作（即所谓的非正规部门），这对满足城市居民的需要是不可缺少的。迁入省非农产业发达的地区，其对劳动力的吸引力大。数据显示，中国农村劳动力迁移规模和经济波动的周期基本吻合。区域经济的静态指标对劳动力迁移有影响，地区经济发展的活力对农村剩余劳动力的吸引也有很大作用。因为，地区的经济发展越有活力，说明这里的增长能力越强，这里的机会就越多，那么劳动力更容易流入到此地。如果用GDP的增长率反映地区经济活力，那么劳动力跨省流动与迁入地的GDP的增长率正相关。

假设2：农村劳动力向东部集聚与东部省市的人均收入正相关，与城镇失业率负相关。我们看到，随着城乡收入差距不断扩大，农业剩余劳动力迁移的规模也在不断扩大，这种现象意味着农业剩余劳动力迁移与城乡收入差距的扩大同时并存。收入差距和就业机会是劳动力和人力资本流动的外部动力。农村劳动力迁移由收益成本比来决定，收益指的是预期收益，迁入省的收入预期对劳动力迁移与否的决定产生影响。成本中包含劳动力去外省找工作的代价，失业率是跨省迁移的成本，对劳动力跨省迁移有抑制作用，提供就业机会越多的省域对劳动力的吸引力越大，劳动力越倾向于迁入。托达罗认为决定农村向城市迁移流量的，是城乡实际收入的预期差别。迁移者在城市迁入地的预期收入，等于他在城市找到工作的概率乘以就业后的实际收入。

假设3：农村劳动力向东部集聚与东部省份的对外依存度正相关。对外依存度是用地区进出口总额占国内生产总值的比重来表示，是衡量外向型经济发展程度的指标。外向型经济的发展，外资的大量涌入，为中国人口迁移提供了一种新的外部推动力量。外商直接投资主要集中于中小规模经济、劳动密集型产业及加工业，这些产业吸收大量的农业剩余劳动力，从而促进沿海地区中小企业和农村工业化的发展（Sit and Yang，1997；Li，1997）。对外开放扩大了中国各省之间经济发展的不平衡，这导致了大规模的劳动力流动。对外开放对于劳动力迁移的吸引是有作用的，外向型经济不仅能够吸收本地劳动力，而且能对外省劳动力形成非常明显的拉力（朱农，2004）。

假设4：农村劳动力向东部集聚与东部省份的城市化水平负相关。城市化是人口向城市集中的过程，其衡量指标是城市人口占全社会人口的比重。Cohen（2006）认为，在未来的30年里，世界的人口增长主要集中于发展中国家的城市，中国的城市则位于前列。城市发展过程是人口流动的过程。引起城市人口变动的原因有城镇人口的自然增长率、农村人口向城镇迁移、城镇行政区划变动及统计口径变化。农村人口向城镇迁移促进了城市化的发展；反过来城市化的提高不一定有利于农村人口向城镇迁移，原因在于城市长期以来偏向发展资本密集型的重工业，对劳动力的吸纳能力一直很低。在中国农业劳动力迁移的过程中，农村推力很大，城市拉力远远不足。

假设 5：农村劳动力向东部集聚与东部省份的人文环境正相关。农村劳动力迁移一般都是通过劳动力市场提供的就业机会来实现的。最初，人口规模越大，对劳动力的吸引力越大，劳动力越容易迁移，到达一定程度以后，人口规模大又会对资源如土地、资本、矿产等造成压力，从而对劳动力流动形成阻力。文化水平反映一个地区的劳动力素质，反映人力资本的积累和文明程度，我们用 15 岁及 15 岁以上人口的文盲率的指标来表示，我们假设劳动力省际流动与迁入省的文盲率成反比。

以上关于农村劳动力跨省迁移与迁入省的经济人口因素关系的假设是否成立，我们将用计量经济学的研究方法和 2005 年的统计数据进行检验。

5.2　数据来源及模型构建

5.2.1　数据来源与变量选取

在国家统计局 2005 年 1% 人口抽样调查数据中，农村迁移人口总数为 1 916 468 人，其中，1 259 291 人为省内跨县（市）的迁移，占 65.7%；657 177 人为跨省迁移，占 34.3%。由于在乡村人口迁移中，主要是农村劳动力的迁移，所以在以下的实证研究中，本书将乡村人口迁移看做农村劳动力的转移。

1）因变量设定。跨省迁移与省内迁移的行为是农村劳动力迁移意愿的反映。本书以它作为因变量，进而从迁入省的特征分析影响农村劳动力跨省迁移的意愿。相对于省内迁移，跨省迁移是程度更深的迁移，本书因变量将跨省迁移取值为"1"，省内迁移取值为"0"。

2）自变量设定。根据理论分析与假设，将迁入省的经济特征即第二、第三产业之和（X_1）、GDP 增长率（X_2）、人均收入（X_3）、失业率（X_4）、对外依存度（X_5）与迁入省的人口因素即城市化水平（X_6）、总人口（X_7）及文盲率（X_8）作为可能影响农村劳动迁移的自变量，分别设为 $X_1 \sim X_8$，数据均来自 2006 年的《中国统计年鉴》。

5.2.2 解释变量的相关性检验

首先对影响农村劳动力跨省迁移行为的解释变量作相关性检验，用以测量两个变量间的关联强度。设 X_i 与 X_j 为两个随机变量，其相关系数 以 r 表示，取值 $-1 \leqslant r \leqslant 1$。$r$ 值越趋近于 1，表示越强烈正相关；r 值越趋近于 -1，表示越强烈负相关；r 值趋近于 0 时，表示可能完全不相关。一般而言，当 $-0.3 \leqslant r \leqslant 0.3$ 时，表示低度相关；$0.3 \leqslant r \leqslant 0.7$ 或 $-0.7 \leqslant r \leqslant -0.3$ 时，表示中度相关；$0.7 \leqslant r \leqslant 1$ 或 $-1 \leqslant r \leqslant -0.7$ 时，表示高度相关。本次研究的 8 个解释变量指标的相关性检验结果见表 5-1。

表 5-1　自变量相关性矩阵

	X_1	X_2	X_3	X_4	X_5	X_6	X_7	X_8
X_1	1.000 0.439							
X_2	0.102 0.439	1.000 0.001						
X_3	0.569 <0.0001	0.408 0.001	1.000 0.002					
X_4	-0.347 0.007	-0.564 <0.0001	-0.400 0.002	1.000 0.028				
X_5	0.652 <0.0001	0.241 0.064	0.837 <0.0001	-0.283 0.028	1.000 <0.0001			
X_6	0.370 0.004	0.395 0.002	0.808 <0.0001	-0.209 0.109	0.777 <0.0001	1.000 0.115		
X_7	0.721 <0.0001	-0.220 0.091	0.013 0.921	-0.105 0.423	0.088 0.503	-0.205 0.115	1.000 0.070	
X_8	-0.376 0.003	-0.202 0.122	-0.314 0.015	0.175 0.180	-0.360 0.005	-0.573 <0.0001	-0.236 0.070	1.000

表 5-1 中各变量之间的相关系数在 95% 置信区间内均显著，除迁入省人均收入 X_3 与迁入省对外依存度 X_5（相关系数 0.837），迁入省人均收入 X_3 与城市化 X_6（相关系数 0.808），迁入省对外依存度 X_5 与城市化 X_6（相关系数 0.777），总人口 X_7 与迁入省第二、第三产业之和 X_1（相关系数 0.721），呈高度相关外，其余皆属中低度相关，表明本书所采用的解释变量适宜作为实证研究的变量。

5.2.3 模型构建

本书通过构造一个综合分析模型，验证影响劳动力跨省迁移意愿的相关假设。目前处理分类因变量常采用 Logit 模型，"1"表示跨省迁移，"0"表示省内迁移，解释变量主要包括迁入省的经济特征和人口因素。Logit 模型是概率单位模型，可以分析具有不同特征的劳动力选择跨省迁移或省内迁移的概率，分析什么样的农村劳动力更可能跨省迁移，Logit 模型的具体形式如下：

$$Logit(P) = \beta_0 + \beta_1 X_1 + \cdots + \beta_\rho X_\rho \tag{5-1}$$

根据 Logit 变换的定义，即

$$Logit(P) = \ln[P/(1-P)] \tag{5-2}$$

$P/(1-P)$ 称为发生比（Odds），即某事件出现的概率与不出现的概率之比，本书采用的就是农村劳动力跨省迁移与非跨省迁移（省内迁移）的发生比。将式（5-2）代入式（5-1）并运算可得

$$P = [Exp(\beta_0 + \beta_1 X_1 + \cdots + \beta_\rho X_\rho)/(1 + Exp(\beta_0 + \beta_1 X_1 + \cdots + \beta_\rho X_\rho))] \tag{5-3}$$

由于因变量是二分类的，Logit 回归模型的误差项应当是服从二项分布，而不是正态分布。因此，该模型不适合使用最小二乘法进行参数估计，而要用最大似然法。由于模型中使用了 Logit 变换，各自变量的偏回归系数 β_i（$i=1$，2，$\cdots$，p）表示的是自变量 X_i 每改变一个单位，农村劳动力跨省迁移与省内迁移的发生比（Odds）的自然对数值的改变量。而 Exp（β_i）即发生比率（odds ratio，即 OR 值），表示的是自变量每 X_i 变化一个单位，农村劳动力跨省迁移出现概率与省内迁移出现概率的比值是变化前的相应比值的倍数。当迁移结果出现的概率较小时（一般认为小于0.1），OR 值大小和发生概率之比是非常接近的，因此就可以近似地认为迁移的发生率为变化前的 OR 值，该模型的回归结果中还提供了用于检验模型预测准确度的指标。

5.3 计算结果分析

为了对 Logit 回归模型进行有意义的解释，模型中所包含的自变量必须对因变量有显著地解释能力。在 Logit 回归中，用来检验"除常数项以外的所有系数都等于0"的无关假设的检验是似然比检验（likelihood ratio test）。它可以用来检验 Logit 回归模型统计性是否显著。似然比统计量近似地服从于 X^2 分布（Greene，1990）。如果模型 X^2 的统计性显著，我们便拒绝零假设，认为自变

量所提供的信息有助于我们更好地预测事件是否发生。

本书采用似然比来检验模型的整体拟合效果，在给定的 0.05 显著性水平下，统计量所对应的似然比检验的显著性指标 P 值小于 0.05，表明解释变量对因变量有显著性影响。本书选用 SAS8.0 软件中的 Logit 回归模块中的 Backward：LR 方法，即首先让所有的解释变量都进入回归方程，然后根据极大似然估计的统计量的概率值逐个删除对因变量影响不显著的解释变量，判断概率设为 0.05，得到最终拟合效果较优模型（表 5-2）。

表 5-2 显示对 8 个自变量进行 Logit 回归分析得到参数的显著性检验结果。解释变量均在给定的 0.05 显著性水平下对因变量具有显著性作用，即迁入省第二、第三产业之和（X_1）、GDP 增长率（X_2）、人均收入（X_3）、失业率（X_4）、对外依存度（X_5）、城市化水平（X_6）、总人口（X_7）和文盲率（X_8）都显著影响中国农村劳动力的跨省迁移意愿，其影响及程度归纳如下。

第一，东部省份第二、第三产业之和与 GDP 增长率是影响农村劳动力东部集聚的原因，假设 1 得到证实。迁入省第二、第三产业之和的统计检验在 5% 的水平上显著。由于迁入省第二、第三产业之和是连续型变量，其 OR 值是以 1 亿元为间隔的发生比比值。这说明，在其他条件不变的情况下，迁入省第二、第三产业之和增加 1 亿元时的发生比与未增加前的发生比近似相等。通常，我们希望研究以 100 亿元为间隔的 OR 值，其值为 1.009，表示若迁入省第二、第三产业之和增加 100 亿元，其跨省迁移发生比将增加 0.9%。GDP 增长率对农村劳动力跨省迁移有显著影响，因为其作用系数为 0.002 82，即 GDP 增长率若增加 1% 是未增加前跨省迁移发生比的 100.3%，GDP 增长率若增加 5% 比未增加前跨省迁移发生比的增长 1.4%。

表 5-2　极大似然估计标准分析

影响因素	回归系数	卡方值	P 值	OR 值（Exp（B））
常数项	−0.163 2	29.802 2	<0.000 1	0.849
第二、第三产业之和/亿元（X_1）	0.000 092	6 104.057 5	<0.000 1	1.000
GDP 增长率/%（X_2）	0.002 82	138.469 5	<0.000 1	1.003
人均收入/元（X_3）	0.000 165	12 677.173 8	<0.000 1	1.000
失业率/%（X_4）	−0.155 5	1 244.059 6	<0.000 1	0.856
迁入省对外依存度/%（X_5）	0.009 70	16 990.665 8	<0.000 1	1.010
迁入省城市化水平/%（X_6）	−0.035 9	7 747.216 1	<0.000 1	0.965
迁入省总人口/人（X_7）	−0.000 30	16 992.351 6	<0.000 1	1.000
迁入省文盲率/%（X_8）	−0.015 6	502.984 7	<0.000 1	0.985

注：8 个解释变量的 P 值均 <0.000 1，表示在 5% 水平上极其显著，OR 值均具有意义

第二，东部省份的城镇人均收入与失业率显著地影响农村劳动力向东部集聚，假设 2 得到证实。其 OR 值为 1，即城镇人均收入若增加 1 元，其迁移发生比和未增加前基本相等。为了更深入地研究，我们以 1000 元为间隔，得到其 OR 值为 1.179，即表示城镇人均收入若增加 1000 元，农村劳动力迁移发生比将增加 17.9%。失业率对农村劳动力跨省迁移意愿的影响是负的，因为其作用系数为 -0.1555，其 OR 值为 0.856，即城镇失业率每增加 1%，其跨省迁移发生比是未增加前的 85.6%，即迁入省的失业率增加，迁入人口将减少。

第三，东部沿海省份的经济对外依存度也影响农村劳动力向东部集聚，假设 3 得到证实。这种影响是一种正的影响，因为其作用系数为 0.009 70。其 OR 值为 1.010，即对外依存度水平若增加 1%，其迁移发生比是未增加前的 101.0%。对外依存度水平若增加 5%，其迁移发生比将增加 5%，即迁入省的对外依存度提高，迁入人口将增加。

第四，东部省份的城市化水平影响农村劳动力向东部集聚的，假设 4 得到证实。这种影响是一种负的影响，因为其作用系数为 -0.0359。其 OR 值为 0.965，即城市化水平若增加 1%，其迁移发生比是未增加前的 96.5%，即迁入省的城市化水平提高，迁入人口将减少。

第五，东部省份的总人口和文盲率也是影响农村劳动力跨省迁移意愿的重要因素，假设 5 得到证实。迁入省总人口的统计检验在 5% 的水平上显著，其系数非常接近 0。其 OR 值为 1，即迁入省人口总量每增加 1 万人时的发生比与未增加前的跨省迁移发生比近乎相等。迁入省的人口总量若增加 10 万，其迁移发生比是未增加前的 99.7%，减少了 0.3%。迁入省文盲率对农村劳动力跨省迁移有影响，而且这种影响是一种负的影响，因为其作用系数为 -0.0156。其 OR 值为 0.985，即迁入省的文盲率若增加 1%，农村劳动力的迁移发生比将是未增加前的 98.5%。

5.4　本章小结

中国农村劳动力转移有向东部集聚的趋势，这一迁移特点有着深刻的经济、文化、政策、制度和历史等原因。向沿海发达地区转移的趋势逐年增强，它是增长极理论和非均衡增长理论的现实反映。本章从迁入省的经济因素和人口因素选取相应的指标，用 Logit 模型和 2005 年 1% 全国人口抽样调查的数据对影响农村劳动力跨省转移行为进行回归分析，研究的主要结论如下。

1）农村劳动力省内转移和跨省转移具有梯度分布和相对集中分布的规律。用聚类分析方法，将农村劳动力流动的省域分布规律进行分类，揭示全国农村劳动力转移分布大致有三个梯度，与中国经济的东中西三个梯度大致吻合，劳动力转移分布相对集中在东部经济较发达的广东、福建、江苏、浙江、北京、上海和天津。

2）东部省份第二、第三产业之和与 GDP 增长率是影响农村劳动力东部集聚的原因。根据回归分析结果，在其他条件不变的情况下，东部省份第二、第三产业之和增加 100 亿元，其跨省迁移发生比将增加 0.9%，GDP 增长率若增加 5% 比未增加前跨省迁移发生比增长 1.4%。第二、第三产业在解决农村劳动力转移就业中起着不可替代的作用，发展好第二、第三产业，可以为农村劳动力迁移就业创造更多的机会。

3）东部省份的城镇人均收入与失业率显著地影响农村劳动力向东部集聚。东部省市城镇人均收入若增加 1000 元，农村劳动力迁移发生比将增加 17.9%；东部省市的失业率每增加 1%，其跨省迁移发生比是未增加前的 85.6%。经济增长反映经济充满活力，解决经济增长对就业的带动主要是通过经济结构转型升级，重构经济增长活力。

4）东部省份的对外依存度对农村劳动力向东部集聚有正的影响。对外依存度水平若增加 1%，其迁移发生比是未增加前的 101.0%，即迁入省的对外依存度提高，迁入人口将增加。加快以出口加工产品等劳动密集型产业为特色的外向型经济发展，有利于增加就业岗位，促进农村劳动力迁移就业。

5）东部省份的总人口和文盲率对农村劳动力跨省转移意愿有负的影响。迁入省的人口总量若增加 10 万，其迁移发生比是未增加前的 99.7%，减少了 0.3%。迁入省的文盲率若增加 1%，农村劳动力的迁移发生比将是未增加前的 98.5%。东部省份现阶段控制城市人口规模确有必要，此外，大幅增加教育投入，提高国民素质，实现从人口资源大国向人力资本大国迈进。

第6章
农民工与城镇劳动力

农村劳动力进城日益成为城市劳动力供给的一个重要组成部分,对城市劳动力就业已经产生重要影响。本章分析了城乡劳动力资源禀赋差异,阐述了农村劳动力与城镇劳动力在教育、收入和消费方面的差距,进而阐明两者在人力资本方面的差异。城乡劳动力资源禀赋差异,导致农民工对高级劳动力市场不会产生替代作用,相反由于他们之间的互补关系,还会对城镇劳动力的就业产生积极影响。在城镇的初级劳动力市场上,农民工会部分地替代城镇劳动力,给城镇初级劳动力市场带来竞争。为了判别两者之间的关系,笔者通过改进的异质生产要素模型,利用希克斯互补弹性公式,计算农民工与城镇劳动力之间的互补弹性。

6.1 城乡劳动力资源禀赋差异

人力资本是指劳动者受到教育、培训、经验、转移和保健等方面的投资而获得的知识和技能的积累。城乡劳动力资源禀赋存在差异,中国农村劳动力的人力资本低于城镇劳动力的人力资本。2000~2007 年中国城镇居民人均可支配收入均超过农村居民,两者差距呈扩大趋势。2000 年城镇居民人均可支配收入是农村居民的 2.8 倍,2007 年为 3.3 倍。在教育文化娱乐服务支出方面,城镇居民也高于农村居民,两者差距在 3.5 倍以上,2007 年为 4.35 倍,呈扩大趋势(表6-1)。

表6-1 中国城镇居民与农村居民人均可支配收入、教育文化娱乐服务支出比较

(单位:元/人)

年 份	居民人均可支配收入			人均教育文化娱乐服务支出		
	城镇居民	农村居民	城乡比(以农村居民为1)	城镇居民	农村居民	城乡比(以农村居民为1)
2000	6 280.0	2 253.4	2.8	669.58	186.7	3.59
2001	6 859.6	2 366.4	2.9	690.0	192.6	3.58

年 份	居民人均可支配收入			人均教育文化娱乐服务支出		
	城镇居民	农村居民	城乡比（以农村居民为1）	城镇居民	农村居民	城乡比（以农村居民为1）
2002	7 702.8	2 475.6	3.1	902.28	210.3	4.29
2003	8 472.2	2 622.2	3.2	934.38	235.7	3.96
2004	9 421.6	2 936.4	3.2	1 032.80	247.6	4.17
2005	10 493.0	3 254.9	3.2	1 097.46	295.5	3.71
2006	11 759.5	3 587.0	3.3	1 203.03	305.1	3.94
2007	13 785.8	4 140.4	3.3	1 329.20	305.7	4.35

资料来源：根据历年《中国农村住户调查年鉴》和历年《中国统计年鉴》相关数据汇总整理

6.2 城乡劳动力具有不同的供给弹性

城乡劳动力资源禀赋差异使城乡劳动力具有不同的供给弹性。劳动力供给弹性是劳动力供给变动对工资率变动的反映程度。2001～2008 年中国农民工供给弹性大于城镇劳动力供给弹性，农民工对工资需求低，对工资变化敏感；城镇劳动力对工资需求高，对工资的变化不敏感（表 6-2）。根据供给弹性的不同分别绘制城镇和农民工劳动力供给曲线，如图 6-1 所示，S_1 表示城镇劳动力供给曲线，曲线陡峭，劳动力供给弹性小，工资需求水平高。S_2 表示农民工供给曲线，其供给价格弹性较大，工资需求水平低。两者的差别导致中国城镇存在着双重劳动力市场，它是中国城乡二元经济结构在劳动力市场上的反映。

表 6-2 农民工供给弹性与城镇劳动力供给弹性

年 份	城镇劳动力供给/万人	城镇劳动力供给变动率/%	城镇职工平均工资/元	城镇职工平均工资变化率/%	城镇劳动力供给的收入弹性	农民工/万人	农民工变动率/%	农民工人均收入/元	农民工人均收入变化率/%	乡村劳动力供给的收入弹性
2000	23 746	—	9 371	—	—	7 849	—	6 996	—	—
2001	24 621	3.68	10 870	16.0	0.23	8 399	7.0	7 443	6.4	1.1
2002	25 550	3.77	12 422	14.3	0.26	10 470	24.7	7 908	6.3	3.9
2003	26 439	3.48	14 040	13.0	0.27	11 390	8.9	8 424	6.5	1.4

年　份	城镇劳动力供给/万人	城镇劳动力供给变动率/%	城镇职工平均工资/元	城镇职工平均工资变化率/%	城镇劳动力供给的收入弹性	农民工/万人	农民工变动率/%	农民工人均收入/元	农民工人均收入变化率/%	乡村劳动力供给的收入弹性
2004	27 303	3.27	16 024	14.1	0.23	11 823	3.8	9 360	11.1	0.34
2005	28 170	3.18	18 364	14.6	0.22	12 578	6.4	10 369	10.7	0.60
2006	29 157	3.50	21 001	14.4	0.24	13 212	5.0	11 592	11.8	0.42
2007	30 180	3.51	24 932	18.8	0.19	13 987	5.9	12 657	9.2	0.64
2008	31 236	3.50	29 229	17.2	0.20	14 041	3.6	13 872	9.6	0.38

资料来源：根据《中国统计年鉴》相关年份数据汇总整理，"农民工数量"来源于国家统计局农村社会经济调查总队（农村司），农民工收入来自吴忠民的《中国劳动政策问题分析》和国家统计局的相关调查数据计算整理

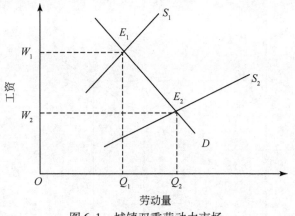

图 6-1　城镇双重劳动力市场

6.3　异质生产要素模型

异质生产要素模型中的异质生产要素是指本国劳动力与外国移民劳动力。用希克斯互补弹性公式，可计算本国劳动力与外国移民劳动力之间是替代关系还是互补关系，如果是替代关系，那么外国移民劳动力的增加将增加本国劳动力失业；如果是互补关系，那么外国移民劳动力的增加将增加本国劳动力就业。本书改变了研究变量，将外国移民劳动力增加对本国劳动力就业影响这一命题转换为进城农民工增加对城镇劳动力就业影响。改进的异质生产要素模型是将农民工与城镇劳动力视为不同生产要素，就像劳动和资本是不同生产要素那样。模型假设，第一，假设城镇只存在两种异质生产要素，即农民工和城镇

劳动力；第二，假设不存在农民工进城的制度性障碍和其他成本；第三，假设其生产函数形式为

$$F = F(L_1, L_2, K) \tag{6-1}$$

式中，F 是城镇的产出水平，它是城镇劳动力、农民工和资本的函数；L_1 是雇佣的城镇劳动力；L_2 是农民工；K 是资本。

如图 6-2 所示，初始的城镇劳动力需求曲线为 D_0D_0 线，城镇劳动力供给曲线为 S_0S_0 线，在劳动力市场均衡点 A 处，工资为 W_0，就业量为 N_0。如果 L_2 和 L_1 之间是互补性关系，那么 L_2 将使城镇劳动力需求曲线向右移动到 D_1D_1 线，劳动力市场在 C 点处均衡，城镇劳动力工资和就业量随之增加到 W_1 和 N_1，增加就业量 N_0N_1；如果 L_2 和 L_1 之间是替代性关系，那么农民工增加将使城镇劳动力需求曲线向左移动到 D_2D_2 线，在城镇劳动力工资具有伸缩性假定下，劳动力市场在 B 点处均衡，城镇劳动力工资和就业量随之减少到 W_2 和 N_2，失业数量为 N_2N_0。

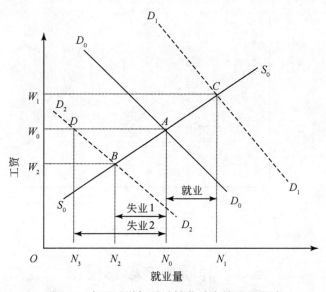

图 6-2　农民工增加对城镇劳动力就业的影响

根据希克斯互补弹性公式中的二阶交叉偏导数 F_{12} 确定 L_2 和 L_1 之间是替代性还是互补性。F_{12} 是用来表示产出水平的生产函数 F 对城镇劳动力的一阶偏导之后再对城镇单位使用的农村劳动力偏导。具体计算公式如下：

$$F_{12} = \frac{\partial^2 F}{\partial L_1 \partial L_2} = \frac{\partial\left(\frac{\partial F}{\partial L_1}\right)}{\partial L_2} = \frac{\frac{\partial\left(\frac{\partial F/\partial T}{\partial L_1/\partial T}\right)}{\partial T}}{\frac{\partial L_2}{\partial T}} \tag{6-2}$$

式中，产出 F 用第二、第三产业 GDP 之和表示；L_1 是雇佣的城镇劳动力；L_2 是农民工；T 为时间（年）。当时间 T 变化 $\Delta T = 1$ 时，上述公式简化为

$$F_{12} = \frac{\Delta\left(\dfrac{\Delta F}{\Delta L_1}\right)}{\Delta L_2} \qquad (6\text{-}3)$$

当 F_{12} 大于零则表示 L_2 和 L_1 是互补关系；当 F_{12} 小于零则表示 L_2 和 L_1 是替代关系。

6.4 农民工与城镇劳动力的排斥与相容

根据希克斯互补弹性的简化公式（6-3），计算中国 2002～2006 年的二阶交叉偏导数 F_{12}。由表 6-3 可知，除了 2006 年希克斯二阶交叉偏导数 F_{12} 小于零，其余年份 F_{12} 均大于零，说明现阶段农民工与城镇劳动力主要是互补关系。通过测算我们发现，在经济发展的不同时期，农民工与城镇劳动力关系是不同的，两者关系的变化有一定的规律性：经济发展初期主要表现为互补关系，并且互补关系逐渐增强；随着国民经济的发展，在城市现代文明的熏陶下，农民工文化素质和职业技能不断提高，其人力资本与城镇劳动力有趋同趋势，它们的关系逐渐地从强互补关系演变为弱互补关系，直至为替代关系。

表 6-3　农民工与城镇劳动力的关系

年份	GDP /亿元	GDP 变化 ΔF	城镇劳动力数量/万人 L_1	城镇劳动力变化 ΔL_1	$\dfrac{\Delta F}{\Delta L_1}$	$\Delta\left(\dfrac{\Delta F}{\Delta L_1}\right)$	城镇使用农村劳动力/万人 L_2	城镇使用农村劳动力变化 ΔL_2	$\dfrac{\Delta\left(\dfrac{\Delta F}{\Delta L_1}\right)}{\Delta L_2}$
2001	93 873.90	9 604.07	23 036.12	782.17	12.278 75	—	903.88	6.83	—
2002	103 795.7	9 921.77	23 777.65	741.53	13.380 13	1.101 380 65	1 002.35	98.47	0.011 184 93
2003	118 441.0	14 645.4	24 495.82	718.17	20.392 62	7.012 490 87	1 143.18	140.83	0.049 794 01
2004	138 465.6	20 024.6	25 157.4	661.58	30.267 79	9.875 170 1	1 318.6	175.42	0.056 294 44
2005	160 797.4	22 331.8	25 807.89	650.49	34.330 8	4.063 007 37	1 523.11	204.51	0.019 867 04
2006	186 134.0	25 336.5	26 574.72	766.83	33.040 63	−1.290 164 2	1 735.28	212.17	−0.006 080 8
2007	217 709	31 575.0	27 449.94	875.22	36.076 65	3.036 014 82	1 900.06	164.78	0.018 424 66

资料来源：《中国人口和就业统计年鉴》（2008 年）

农民工进城与城镇劳动力就业是相容而不是排斥关系，农民工进城增加了

城镇劳动力的就业，对城镇劳动力就业具有积极影响。认为农民工进城"抢"了城里人的"饭碗"，将城镇劳动力失业归咎于农民工进城的观点是不客观的。农民工进城务工是由经济发展的客观规律决定的，一亿多农民进城务工，每年可为农村增加现金收入5000亿元以上，有力地支持了农村生产生活，有利于农村稳定与繁荣，对农村的贡献是巨大的。同时，农民工进城务工对城镇建设和工业发展做出了巨大贡献，他们已成为建筑业、制造业、纺织业、餐饮服务业、零售业员工的主体，已经成为我国城镇人口的重要组成部分，城镇的许多岗位都离不开他们。尽管农民工在劳动力市场受到歧视和不公平待遇，但踏实、勤劳、质朴的品质使他们在劳动力市场仍具有较高的竞争力，其实际失业率只有1.5%，远远低于城市的实际失业率，也大大低于国有集体企业的下岗比例（18%以上）（蔡昉，2009）。在城镇，他们消费支出的增加派生出对城镇劳动需求的增加，创造出更多就业岗位，有效地增加城镇就业。研究表明，如果农民工消费能从农村消费转型为城市消费，那么他们人均消费水平将提高1.8倍，他们对住房、医疗以及城镇基础设施的需求，都将构成扩大城镇内需的强大动力，因此，农民工进城与城镇劳动力就业是相容而不是排斥的。

6.5 本章小结

1）城乡劳动力资源禀赋存在差异。中国城镇居民的教育程度高于农村劳动力的教育程度，加之长期以来形成的二元经济政治制度，使得城镇居民在人均可支配收入均超过农村居民，在教育文化娱乐服务支出方面，城镇居民也高于农村居民，总之，中国农村劳动力的人力资本低于城镇劳动力的人力资本。

2）城乡劳动力具有不同的供给弹性。农民工与城镇劳动力对工资和劳动待遇的需求不同，总体上，农民工对工资需求低，对工资变化敏感；城镇劳动力对工作需求高，对工资的变化不敏感。当工资或劳动力报酬发生变化时，两者的反应是不同的，不同的劳动力供给弹性决定他们在不同的劳动力市场就业。

3）农民工与城镇劳动力的相容关系。根据希克斯互补弹性的简化公式，笔者计算了中国农民工与城镇劳动力希克斯系数，绝大部分年份的系数大于零，说明现阶段农民工与城镇劳动力主要是互补关系而不是替代关系。

4）农民工与城镇劳动力的关系逐渐相容。在经济发展的不同时期，农民工与城镇劳动力关系是不同的，经济发展初期主要表现为互补关系，并且互补关系逐渐增强，在城市现代文明的熏陶下，农民工文化素质和职业技能不断提高，其人力资本与城镇劳动力有趋同趋势。

第 7 章
城镇转移与城镇就业

农村劳动力向城镇转移是经济发展的必然规律。20 世纪 90 年代，中国东南沿海地区经济发展加快，需要大量的劳动力，数以万计的农村富余劳动力涌入大中小城镇，形成中国独有的"民工潮"。人们担心农民工流入会增加城镇失业，针对这个问题，许多学者进行了相关的研究和探索。张兴华（2005）认为农民工对一类劳动力市场上的城镇劳动力不会产生替代关系，对二类劳动力市场上的城镇劳动力存在替代和规模效应。丁仁船和吴瑞君（2006）构建的两类劳动力替代关系的计量模型，表明中国城市中被农民工替代的岗位数占城市本地劳动力的 7.2%，得出农民工与城市劳动力之间高度互补、小幅替代的结论。黄瑞芹（2002）的研究表明，对于下岗工人不愿干的工作，两者之间是补缺关系；在都愿意干的情况下，两者之间存在竞争关系，但驱逐民工不会使城市劳动者按 1∶1 的比例增加就业量。徐玉龙等（2007）认为，农民工就业歧视性的结果将使整个社会的总就业量下降，整个社会的经济运行偏离帕累托最优状态。袁志刚（2005）认为，外来劳动力对城市的贡献与对城市就业岗位的挤占可能同时存在，对外来劳动力的歧视性政策可能导致劳动力的大量流失，有悖于社会公平，外来劳动力就业应主要靠市场调节。

农村劳动力进城日益成为城市劳动力供给的一个重要组成部分，对城市劳动力就业已经产生重要影响。本章首先分析了城镇双重劳动力市场构成，其次，分别阐述了农村劳动力进城务工对城镇初级劳动力市场与高级劳动力市场的影响。最后，利用中国 31 省（自治区、直辖市）2004～2007 年的相关数据，论证了总体上农村劳动力进城务工对城镇就业具有积极的影响。

7.1 城镇双重劳动力市场的构成

双重劳动力市场理论是皮奥里提出的，他认为经济发达地区存在着初级（primary segment）和高级（second segment）双重劳动力市场。

高级劳动力市场由文化程度较高的人员组成,他们拥有较高的人力资本存量,不愿在初级劳动力市场上接受较低的工资。初级劳动力市场以低薪水、工作不稳定和缺乏升迁机会为特征。农村劳动力人力资本存量低,缺乏劳动技能,进城务工主要在初级劳动力市场。在中国城镇劳动力市场上,面对相同的劳动力需求曲线,劳动力供给曲线的不同将劳动力市场"分割"为两个市场。一个是由文化程度较高的城镇劳动力组成,如图 7-1 中 S_1 与 D 构成的劳动力市场,他们受过专业教育,拥有较高的人力资本;另一个是由文化程度较低的农民工组成,如图 7-1 中 S_2 与 D 构成,他们大部分没有经过专业训练,拥有较低的人力资本。在短期内,后者对前者不产生替代,即使是在完全竞争的市场环境中,两个弹性不同的劳动力供给,将劳动力市场"自然"地"分割"为两个市场。

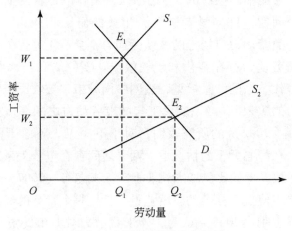

图 7-1　城镇双重劳动力市场

7.2　对城镇高级劳动力市场的影响

在城镇高级劳动力市场上,就业岗位主要是城镇正规部门,由于旧有的就业制度形成的现实格局,进城农民工无法撼动城镇劳动力既存的就业格局,也无法取代城镇劳动力就业。即使传统就业制度逐步被市场化就业制度取代,但是农民工与城镇劳动力存在的人力资本禀赋差异,决定他们是互补关系而不是替代关系(黄宁阳,2009),农民工无法替代城镇劳动力就业,不会"抢"城里人的饭碗。相反,由于他们的互补关系,农村劳动力进入城镇后,劳动力供给增加,企业平均工资降低,从而使城镇企业的生产成本降低、效率提高,并使企业生产规模扩大。由此产生的产品效应将使得对某些当地工人的需求增加，派生出对城镇高级劳动力市场的劳动需求，这不仅不会减少高级劳动力市场上的就业，而且还会因企业生产规模扩大而增加他们的就业。如图 7-2 所示，在城镇高级劳动力市场上，农民工与城镇高级劳动力是互补关系，农民工进城增加会增加城镇的劳动力需求，劳动力需求曲线由最初的 D_1 向右移到 D_{11}，就业数量由最初的 OQ_1 上升到 OQ_{11}，增加 Q_1Q_{11} 就业量，农村劳动力进城务工增加了城镇高级劳动力市场的劳动就业。

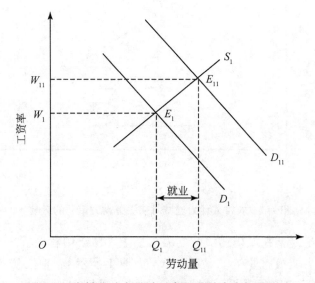

图 7-2 农村劳动力进城对高级劳动力市场的影响

7.3 对城镇初级劳动力市场的影响

如图 7-3，在初级劳动力市场上，农民工对城镇初级劳动力的替代使企业对城镇工人的需求下降到 D_{21}，市场工资由 W_2 降低到 W_{21}。由于工资低，在工资为 W_{21} 时，城镇劳动力只有 OQ_{21} 愿意工作，$Q_{21}Q_2$ 是农民工对城镇劳动力的替代，也就是城镇的失业；如果城镇劳动力具有向下的刚性的话，则他们的失业将会扩大到 $Q_{22}Q_2$。那么，我们是否可以说农民工得到的是城里人不愿干的工作呢？答案是肯定的，条件是工资在 W_2 以下。如果将农民工排除出这个市场，工资率将会上升到 W_2，将有数量为 Q_2 的城镇劳动力愿意做这些工作。这说明所谓不受欢迎的工作，在补偿性工资足够的情况下也会有人去做。如果城镇没有农民工，雇主提供 W_{21} 的工资水平，就会出现 $Q_{21}Q_2$ 的劳动力短缺。这种短缺一直持续到工资水平提高到 W_2，说明短缺不是因为城市工人不愿意做那些工作，而是因为工资水平不高。对于任何一种给定的工作，工作意愿部分地取决于企业支付的工资水平，是工资需求过高影响到城镇劳动力就业而不全是农民工本身（图7-3，失业2多于失业1）。

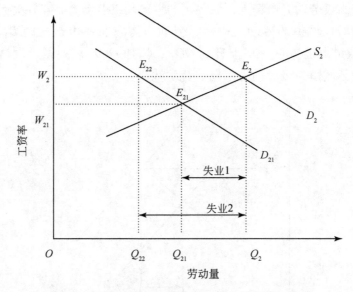

图 7-3 农村劳动力进城对初级劳动力市场的影响

我们的结论是，在城镇初级劳动力市场上，由于两者的替代关系，农民工进城确实会挤占城镇就业机会（图7-3，失业1所示），但工资需求过高也部分地影响到城镇劳动力就业。实际上，农民工进城主要集中在初级劳动力市场，干的是那些当地工人不愿做的工作，他们肯吃苦，不怕脏和累，在某些行业比城镇劳动力具有更大的竞争力，企业从用工成本和效率考虑，选择农民工。

7.4 农村劳动力进城就业对城镇失业影响的实证

7.4.1 数据来源及变量设定

根据上述分析，农村劳动力进城务工对城镇两种劳动力市场的影响是不同的：在城镇高级劳动力市场会增加其就业，在城镇初级劳动力市场会增加其失业。那么，两种影响叠加的结果如何，本书试图对全国的统计数据进行回归分析，探讨城镇失业与农民工进城是否有关，不考虑制度和其他因素，选择城镇劳动力供给和劳动力需求两个方面指标。

劳动力的需求是指一定条件下吸收和容纳的劳动力，是由市场对其所提供产品和服务的需求引起的。劳动力的需求派生于产品需求，产品需求主要由宏观经济发展水平和结构决定，因此三次产业产值及其构成、投资、贸易等都会对劳动力的需求产生影响。一般来说，经济越发达，投资需求越旺盛，对劳动力的需求就越多，失业就越少。在影响城镇劳动力需求指标方面，本书选取代表城镇经济发展水平和经济活力的第二、第三产业产值之和与城镇固定资产投资建设总规模两项指标，设解释变量城镇第二、第三产业产值之和为 X_1，城镇固定资产投资建设总规模为 X_2。

劳动力是指在一定年龄范围内，具有劳动能力和参加有报酬的市场性劳动愿望的全部人口，包括就业者和失业者，没有就业意愿或就业要求的人口不属于劳动力范畴。城镇劳动力供给主要表现为城镇经济活动人口（城镇就业人数和失业人数之和）和进城农民工，受到统计数据的局限没有登记的失业人员，本书暂且将之视为没有就业意愿或自愿失业者不予考虑。这样，设解释变量城镇经济活动人口（城镇就业人数和失业人数之和）为 X_3。中国进入城镇务工的农村劳动力数量逐年增加，农民工数据来源于国家统计局农村社会经济调查总队（农村司），设为解释变量 X_4。

城镇登记失业率是被解释变量，设为 Y，其数值也小于实际数值，由于一些学者估计的数值存在较大的差异，本书选取统计年鉴中的城镇登记失业率的数据作分析。我们收集了 2004～2007 年全国 31 省份的城镇第二、第三产业产值之和，城镇固定资产投资建设总规模，城镇经济活动人口（城镇就业人数和失业人数之和）和农民工数据并对其进行回归分析，面板数据见附录六至附录九。

7.4.2　回归过程与结果分析

运用 Eviews5.0 软件，调用 Pool 工具箱进行运算。首先，按照最小二乘法（OLS）进行回归，但是 D.W 值为 0.122 873，模型明显存在着序列相关性。于是接着做一阶序列相关 AR（1）的最小二乘法回归，得到回归系数及检验值，但是通过残差检验图可以看出其存在着一定的异方差性。于是再做加权最小二乘法，调用 cross-section weights 命令，得到回归系数及检验情况，模型克服了异方差。R^2 达到 0.998 547，F 值为 11 958.59，其检验 P 值为 <0.000 1，表明整个模型拟合精度较高，模型良好。D.W 值为 1.961 727，非常接近于 2，表明模型不存在序列相关。具体结果见表 7-1。

表 7-1 2004～2007 年中国 31 省份区面板数据回归结果

变量	回归系数	t 值	P 值	回归系数	t 值	P 值	回归系数	t 值	P 值
	LS			带 AR（1）LS			带 AR（1）WLS		
X_1	−4.15E−08	0.879 910	0.380 7	−4.15E−08	−0.293 752	0.769 6	−9.40E−08	−0.634 609	0.527 3
X_2	−4.42E−05	−0.986 070	0.326 1	−4.42E−05	−2.827 665	0.005 8	−2.18E−05	−2.376 460	0.019 7 *
X_3	1.53E−05	1.437 908	0.153 1	1.53E−05	0.034 148	0.972 8	−0.000 173	−0.606 820	0.545 6
X_4	−0.000 449	−2.808 243	0.005 8	−0.000 449	−0.195 930	0.845 1	−0.000 579	−0.343 774	0.731 8
常数	4.305 902	37.816 02	0.000 0	4.305 902	14.129 69	0.000 0	4.072 169	19.374 05	0.000 0
AR(1)	—	—	—	1.117 605	30.725 70	0.000 0	1.060 016	35.431 51	0.000 0
F 值	6.529 139			229.055 9			11 958.59		
Pr > F	0.000 087			0.000 000			0.000 000		
R^2	0.179 97			0.929 399			0.998 547		
D. W	0.122 873			1.717 917			1.961 727		

注：通过考察带 AR（1）WLS 的检验情况进行如下分析：* 表示在 5% 水平上显著；不带 * 的 P 值 > 0.05，表示在置信水平上不显著，没有通过检验

1）模型中城镇第二、第三产业产值之和（X_1）回归系数检验 P 值为 0.527 3，表明城镇第二、第三产业 GDP 对城镇登记失业率影响不显著，城镇第二、第三产业 GDP 的增长对城镇就业增加有限，这一结果与奥肯定理相悖，与中国一些学者的研究结论一致。虽然中国经济保持高位运行，但失业率却在攀升（顾骅珊，2004），中国城镇产业结构尚需调整和优化。

2）模型中全国城镇固定资产投资建设总规模（X_2）回归系数检验 P 值为 0.019 7，表明国城镇固定资产投资建设总规模对城镇登记失业率有负的影响，增加城镇固定资产投资有助于减少城镇失业，城镇固定资产投资每增加 1000 亿元，会使城镇失业减少 2.18 个百分点。

3）模型中全国城镇经济活动人口（X_3）回归系数检验 P 值为 0.545 6，表明全国城镇经济活动人口对城镇登记失业率影响不显著。30 多年来，中国实行的人口控制政策效果明显，人口自然增长率得到有效控制，中国城镇经济活动人口增加比较稳定，对城镇登记失业率影响不显著。

4）模型中全国城镇单位使用农村劳动力年末人数（X_4）回归系数检验 P 值为 0.7318，表明全国城镇单位使用农村劳动力年末人数对城镇登记失业率影响不显著，城镇登记失业率与进城农民工没有必然关系。中国正值工业化中期阶段，新的产业部门兴起，就业机会增加。虽然城镇经济活动人口较多，就

业压力大，但由于分工的需要和城镇就业的二元性，农民工在城镇的就业机会很多，进城农民工对城镇登记失业率没有显著影响。

7.5　本章小结

本章首先通过对城乡劳动力资源禀赋差异与城镇双重劳动力市场构成的分析，阐述了农村劳动力进城务工对城镇两种劳动力市场的影响。其次，通过改进的异质生产要素模型，利用希克斯互补弹性公式，计算农民工与城镇劳动力之间的互补弹性。最后，对中国 31 省份 2004～2007 年的相关数据进行回归分析。主要研究结论如下。

1）双重劳动力市场是中国城乡二元经济在劳动力市场上的反映。中国城乡劳动力资源禀赋差异使城乡劳动力具有不同的供给弹性，两个弹性不同的劳动力供给，将城镇劳动力市场"自然"地分割为两个市场。中国农民工人力资本比城镇劳动力低，这影响他们在城镇的就业能力和就业范围。加强农民工职业教育和技能培训，增加他们人力资本积累，使之适应城镇新兴工作岗位要求，提高他们的劳动竞争力，势在必行。

2）进城农民工对城镇双重劳动力市场的影响不同。在城镇高级劳动力市场上，就业岗位主要是城镇正规部门，农民工与城镇劳动力在人力资本禀赋上的差异，决定他们是互补关系而不是替代关系，农民工无法替代城镇劳动力就业，不会"抢"城里人的饭碗。在城镇初级劳动力市场上，城乡劳动力主要表现为替代关系，农民工进城确实会挤占城镇就业机会，但工资需求过高也部分地影响到城镇劳动力就业。

3）农民工与城镇劳动力是互补相容关系。笔者利用异质生产要素模型和希克斯互补弹性公式，计算出当前农村劳动力与城镇劳动力之间主要是互补关系，农民工进城与城镇劳动力就业是相容的，农民工进城对城镇劳动力就业具有积极影响。无论是站在城镇经济发展角度，还是站在城镇劳动力就业角度，不允许农民进城务工，人为设置流动障碍，都不符合市场经济规律和现代社会公平正义的原则。

4）农民工进城与城镇居民失业没有必然关系。笔者对中国 31 省份2004～2007 年的相关数据进行回归分析，论证了总体上农村劳动力进城务工对城镇就业具有积极的影响。农民工进城不是城镇居民失业的原因，政府要创造一个公平就业环境，应该取消农民工进城的种种限制，使农民工能在城镇中发挥作用，在城镇就业和居住下来。

5）农民进入城镇成为发展城镇第二、第三产业的重要力量。目前中国城镇第二、第三产业 GDP 的增长对城镇就业增加有限，亟须调整和优化城镇经济结构，发展劳动密集型产业，特别是劳动密集型加工业与以服务业为主体的第三产业。城镇固定资本投资规模是影响城镇劳动力就业的主要因素，固定资本投资是指生产过程中物资和货币的投入，可直接创造就业岗位，从而增加就业人数，对促进就业有重要的作用。

第8章
中国农村劳动力转移
趋于稳定的时间预测

农村劳动力转移是指劳动力由农业向国内其他产业或国外各类产业的流动。中共十四届三中全会指出："积极鼓励和引导农村剩余劳动力逐步向非农产业转移和地区间的有序流动。"中共十五大提出："要把中国由农村人口占很大比重，主要依靠手工劳动的农业国，逐步转变为非农产业人口占多数，包含现代农业和现代服务业的工业化国家。"中共十六大进一步指出："农村富余劳动力向非农产业和城镇转移，是工业化和现代化的必然趋势。"劳动力从农业向第二、第三产业的转移，是中国改革开放以来经济增长的重要源泉，是建设社会主义新农村、解决"三农"问题的重要途径，是经济和社会发展的必然要求，也是中国社会进步的重要标志。然而，受人口和经济的制约，中国农村劳动力非农转移具有长期性。从人口方面看，中国农村劳动力人口总量大、劳动参与率高以及经济活动人口文化程度低；从经济方面看，中国就业弹性低、就业偏离度大以及经济增长对就业的拉动作用小，这些都构成了农村劳动力转移就业的阻力，使得农村劳动力转移就业具有长期性。

欧美主要发达国家农业劳动力占全国就业比重由 1/2 下降到 1/10，一般经历 80～100 年。转移速度最快的日本，这一比重由 1947 年的 51.6% 下降为 1985 年的 8.8%，38 年下降 42.8 个百分点，年均下降 1.13 个百分点。随着时间的推移、经济的发展、制度的演变以及社会的进步，中国农村劳动力转移就业也会像发达国家劳动力转移所经历的那样趋于平稳，那么什么时候会趋于平稳？邓大松（2008）运用马尔科夫链预测理论，建立了中国农村劳动力产业流动趋势和地域流动趋势两个理论模型，结果是农村劳动力的主要流动方向仍然以沿海地区和省内为主，其次是内地省份。宓瑞红和王文新（2005）利用山东省潍坊市临朐县临朐镇的调查数据和马尔科夫链原理，建立两个模型，分别考察贫困县农村劳动力产业流动趋势以及地域流动趋势，得出贫困县农村劳动力的产业流动及地域流动分别约要 19 年和 13 年的时间达到稳定状态的结论。魏丹等（2008）利用马尔科夫链原理和各地农村劳动力外出打工人数的抽样调查的数据，建立了中国农村劳动力流动趋势预测模型，预测21年后中国农村劳动力外出打工将趋于稳定。又利用时间序列分析对中国农村劳动力转移达到稳定状态时的农村总人口做出预测，从而预测中国农村劳动力转移达到稳定状态时农村劳动力外出打工人数的基本情况。

笔者认为利用马尔科夫链原理进行农村劳动力转移状态趋于稳定时期的预测是一个很好的方法，但是将农村劳动力状态设置为外出与未外出则过于简单。目前，中国乡村人口就业主要有三种形式：从事农业生产、"离土不离乡"的就近打工和"离土又离乡"的外出打工。因此构建了农村劳动力的三种就业状态：在家务农、在家附近打工和外出打工，并对处于这三种状态的农村劳动力进行问卷调查，根据抽样调查的数据和马尔科夫链原理对未来中国农村劳动力转移就业的三种状态的稳定性进行预测，并预测农村劳动力趋于稳定状态的时间年限。时间序列模型一般适用于短期的预测，不适合作长期预测，故本书未采用时间序列的预测方法，也未对农村人口进行预测，因为农村人口不能代表农村劳动力。本书在数据上采用中国劳动统计年鉴中中国乡村就业人口 1978～2007 年的数据，方法上采用 Logistic 模型对中国乡村就业人口的未来进行预测，因为 Logistic 模型常用来做人口预测，特别是利用统计数据所作的时序图和 Logistic 模型的图形非常接近，预测结果和实际值的拟合效果非常好，从而测算中国农村劳动力转移达到稳定时农村劳动力在家务农、在家附近打工和外出打工这三种状态的数量。

8.1 农村劳动力转移长期性的人口因素分析

8.1.1 中国人口总量大，农村劳动力人口比重高

中国人口总量大，2007 年达 132 129 万人，其中，乡村总人口数为 72 750 万人，占 55.1%。第一、第二、第三产业就业人口分别是 31 444 万人、20 629 万人和 24 917 万人，分别占 40.8%、26.8%和 32.4%。从图 8-1 中国三次产业就业人数（万人）分布，可以清楚地看出，中国三次产业的就业比例，第一产业的就业比重逐年下降，但比重依然很高。第二产业和第三产业的就业比重逐年提高，第三产业的就业比重超过的第二产业的就业比重，表明中国的就业结构不断优化。由于中国人口基数大，农村劳动力人口比重高，中国农村劳动力向非农产业和城市转移将是一个长期的过程。

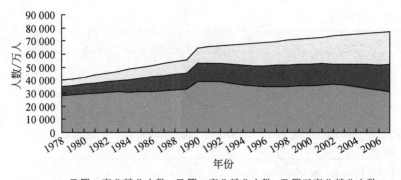

图 8-1　中国三次产业就业人数/万人

资料来源:《中国劳动统计年鉴》(2008 年)

8.1.2　经济活动人口多，劳动参与率高

　　经济活动人口是指在 16 周岁及以上，有劳动能力、参加或要求参加社会经济活动的人口，包括就业人口和失业人口。劳动参与率是指一国（地区）全体就业人口和失业人口的总数占该国（或地区）工作年龄人口的比率，是测度人口参与社会劳动程度的指标，同时也反映经济的活跃程度和发展状况。一般的，劳动参与率越高，投入经济中的劳动力数量相对就越多，需要的就业岗位就越多。与世界各国相比较，中国经济活动人口多，劳动力参与率偏高。据国际劳工组织数据库数据显示（表 8-1），2006 年中国经济活动人口多达 7.8 亿，占世界经济活动人口的 25.4%，劳动力参与率为 81.7%，高于世界平均水平（71.0%）11.7 个百分点，高于低收入、中等收入和高收入国家的劳动参与率，增加了就业压力。

表 8-1　2006 年世界及有关国家经济活动人口及劳动参与率

国家/地区	经济活动人口/万人	劳动参与率/%
世界	307 787	71.0
低收入国家	54 505	73.0
中等收入国家	202 091	70.2
中低收入国家	256 596	70.8
高收入国家	51 192	72.1
中国	78 055	81.7
美国	15 702	75.6

国家/地区	经济活动人口/万人	劳动参与率/%
英国	3 083	75.6
日本	6 620	72.7
印度	43 800	60.8
巴西	9 308	72.2
俄罗斯	7 353	71.2

资料来源：International Labor Organization Database

8.1.3 经济活动人口教育程度低，农村劳动力转移就业难度大

中国就业压力不仅体现在总量上，也反映在结构上，人才素质与市场需求的结构性矛盾影响了就业规模的扩大。从表 8-2 中看，中国经济活动人口初等教育的比重仍然占主导地位，教育程度远低于美国、英国、日本、德国和法国等世界发达国家，也低于巴西、印度等发展中国家，这加剧了农村劳动力转移就业的难度。

表 8-2　经济活动人口教育程度构成

国　家	初等教育		中等教育		高等教育	
	2000 年数据/%	2005 年数据/%	2000 年数据/%	2005 年数据/%	2000 年数据/%	2005 年数据/%
中国	—	—	17.3	17.7	12.7	16.1
日本	17.2	60.5	31.2	27.9	63.1	66.4
加拿大	18.0	16.0	22.6	22.0	74.1	75.3
美国	13.7	10.0	23.2	20.6	74.3	77.8
法国	28.6	28.1	24.9	24.3	70.2	71.5
英国	17.8	21.7	25.3	22.0	72.8	76.3
德国	17.8	16.6	33.1	29.7	64.1	67.8
巴西	—	—	—	21.0	59.4	57.9

资料来源：世界银行数据库

8.2　农村劳动力转移长期性的经济因素分析

17 世纪末，古典经济学家威廉·配第从经济发展的角度揭示了人口流动

的原因。他在《政治算术》中论及了经济发展过程中不同产业间收入的变化，说明了工业的收益大于农业，商业的收益大于工业，这种不同产业的比较利益差异促使社会劳动者从农业部门流向工业部门和商业部门。从产业部门看，历史上农村劳动力转移规律一般是先大量流向工业部门，再在工业化的中后期大量进入商业部门。从比较利益看，2006 年农村外出从业人员的平均工资为 14 712 元，是农村居民人均纯收入 3587 元的 4 倍。这表明农村劳动力转移的流入地具有强大的拉力，非农产业的收益相对较大（辛小柏，2003）。在比较利益的驱使下，城乡预期收入差异的作用使得农村劳动力转移的规模逐年扩大。中国投资严重偏向城镇，劳动力分布严重偏向农村，城镇劳动力自身增长速度又很低，因此城镇产业必然会对农村劳动力产生巨大需求（胡景北，2008）。中国农村外出劳动力的规模与宏观经济紧密相关。中国农民向城镇、非农产业的转移在宏观经济学中的一个重要特征是具有周期性。农业劳动力转移率（用农业劳动力绝对减少的数量和总劳动力数量对比）呈现 10 年左右的波动周期，并且和 GDP 增长率的波动有明显关联（胡景北，2008）。劳动力转移的速度，要与非农产业发展的速度以及城市化的发展速度相一致。目前中国农村劳动力的转移与客观的需要之间差距很大，转移速度严重滞后。从平衡的角度看，之所以出现这种现象，是因为劳动力转移的有利因素在一定程度上弱于劳动力转移的不利因素。受金融危机的影响，大量农民工返乡，这在某种程度上证明外出劳动力规模受到一个国家宏观经济的制约。

中国农民不仅大规模地转移，而且这种大规模转移又是波动的、具有周期性的，所以，中国农民转移本身给中国经济带来了很大的冲击。对中国经济增长、经济稳定产生很大的影响。从宏观经济学角度观察，中国农民转移既是一个不断从乡村向城镇、从农业向非农产业转移的长期过程，也是一个有时转移多、有时转移少甚至转回乡村和农业的短期波动过程。中国经济政策的一个重大挑战就是如何在促进农民转移的同时又缩小农民转移的波动（胡景北，2008）。

8.2.1 就业弹性低，经济增长对劳动力吸纳能力不足

就业弹性是研究经济发展与就业增长数量关系的函数，是指劳动力就业的增长率与经济增长率之间的比率。其经济含义是经济每增长 1%，就业就增长多少个百分点。一般在经济不断趋向成熟的过程中，就业弹性会有逐渐减小的趋势。就业弹性不断减小说明每创造一个增量的产值所需要的劳动增量变小。从表 8-3 中国三次产业的就业弹性看，中国第一产业就业弹性趋于减小，呈现

负数，第一产业就业人员逐年减少是总就业弹性下降的直接原因。第二产业和第三产业的就业弹性波动很大，总体趋势也是趋于减小，说明第二、第三产业增长对就业的拉动作用在减弱。

表 8-3　1980～2007 年中国三次产业就业增长产值增长及就业弹性

年　份	第一产业就业增长率/%	第一产业增长率/%	第一产业就业弹性	第二产业就业增长率/%	第二产业增长率/%	第二产业就业弹性	第三产业就业增长率/%	第三产业增长率/%	第三产业就业弹性
1980～1984	1.53	12.82	0.134	5.89	10.30	0.704	8.48	15.59	0.548
1985～1989	1.49	13.06	0.119	4.61	18.70	0.221	5.55	25.41	0.234
1990～1994	2.23	18.04	0.137	5.17	25.91	0.584	9.02	24.67	0.635
1995～1999	−0.46	9.52	−1.090	1.42	13.16	0.069	4.40	16.00	0.254
2000～2004	−0.27	7.98	0.151	0.64	12.56	−0.002	3.69	13.78	0.269
2005～2007	−3.76	9.6	−0.521	6.83	17.99	0.380	2.69	15.74	0.180

资料来源：根据历年的《中国统计年鉴》整理而得

8.2.2　就业偏离度大，劳动力转移需要长时间磨合

就业结构偏离度是指某一产业的就业比重与增加值比重之差，是衡量一个经济体的产业结构和劳动力就业结构匹配程度的重要标准。一般来说，结构偏离度与劳动生产率成反比，结构偏离度大于零（正偏离），该产业的就业比重大于增加值比重，意味着该产业的劳动生产率较低；反之，负偏离则意味着该产业的劳动生产率较高。从另外一个角度看，结构正偏离的产业存在劳动力转出的可能性，结构负偏离的产业存在劳动力转入的可能性。如果国民经济各产业都是开放的，产业间没有行政壁垒，即呈完全竞争状态，那么通过市场对劳动力资源的重新配置，会使各产业的生产率逐步趋于一致，各产业的结构偏离度也就逐步趋于零。

从图 8-2 看，中国第一产业正偏离度远高于零，意味着中国第一产业有大量的劳动力需要转移；第二、第三产业负偏离度低于零，特别是第二产业负偏离度低于第三产业，说明第二产业还有较大的就业空间。产值结构与就业结构的严重不对称性需要长时间磨合，这意味着中国农村劳动力非农转移的长期性。

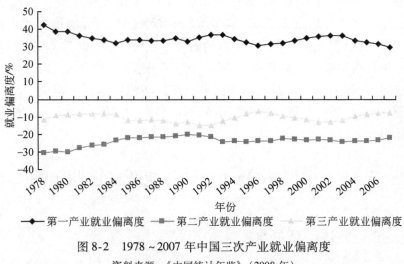

图 8-2 1978～2007 年中国三次产业就业偏离度

资料来源：《中国统计年鉴》（2008 年）

8.2.3 经济增长快于乡村就业人口增长，经济增长对就业的拉动作用在下降

从 1978～2007 年的统计数据看（图 8-3），中国经济增长和乡村就业人口增长不同步，经济增长快于就业增长。1994 年之前，中国经济处于高位增长阶段，这一阶段乡村就业人口增长率在 2% 上下徘徊，低于全国就业增长率 4% 的水平。1994 年之后，中国经济增长急剧下降后趋于稳定增长，相应的乡

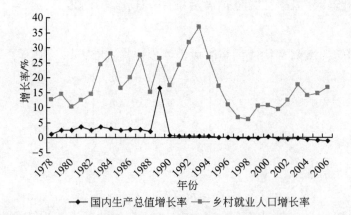

图 8-3 1978～2007 年国内生产总值增长率与乡村就业人口增长率

资料来源：《中国统计年鉴》（2008 年）

村就业人口处于零增长且有下降的趋势，到1998年乡村就业人口增长出现负增长，从2002年以来到2007年连续6年负增长，经济增长对就业的拉动作用在下降。根据国家统计局公布的数据，"九五"期间GDP年均增长8.6%，年均增加就业人数804万人；"十五"期间GDP年均增长9.5%，年均增加就业人数只有748万人。不同的时期经济都有增长，但就业增长的效果完全不同，经济增长创造就业机会的不足是影响农村劳动力非农转移的一个关键因素。

8.3　中国农村劳动力转移就业稳定期预测

8.3.1　分析方法：马尔科夫链

时间离散、状态离散的马尔科夫过程，简称马尔科夫链。无后效性是马尔科夫链最基本的一条性质。无后效性是指当过程在t时刻所处的状态为已知时，过程在大于t的时刻$t+1$所处的状态的概率特性只与过程在t时刻所处的状态有关，而与过程在$t+1$时刻以前的状态无关。

马尔科夫链的研究对象是某一系统的状态与状态转移。设该系统有n个状态

$$P\{X_{t+1}=j \mid X_t=i\}=p_{ij}, \quad i, j=1, 2, \cdots, n$$

以表示一个系统在时刻t处于状态i，于下一时刻$t+1$转变为状态j的概率，并称之为一步转移概率。同时p_{ij}满足条件：①$p_{ij} \geqslant 0$；②$\sum\limits_{j=1}^{n} p_{ij}=1$（$i, j=1$，$2, \cdots, n$）。

由一步转移概率p_{ij}构成的矩阵成为一步转移概率矩阵，记为$P(1)$，即

$$P(1)=\begin{bmatrix} p_{11} & p_{12} & \cdots & p_{1n} \\ p_{21} & p_{22} & \cdots & p_{2n} \\ \vdots & \vdots & & \vdots \\ p_{n1} & p_{n2} & \cdots & p_{nn} \end{bmatrix}$$

若以

$$P\{X_{t+k}=j \mid X_t=i\}=p_{ij}(k), \quad i, j=1, 2, \cdots, n$$

表示一个系统从最初的状态经过k（$k>1$）步到达状态j的转移概率，则称$p_{ij}(k)$为k步转移概率。

由k步转移概率构成的矩阵成为k步转移概率矩阵，记为$P(k)$，即

$$P(k) = \begin{bmatrix} p_{11}(k) & p_{12}(k) & \cdots & p_{1n}(k) \\ p_{21}(k) & p_{22}(k) & \cdots & p_{2n}(k) \\ \vdots & \vdots & & \vdots \\ p_{n1}(k) & p_{n2}(k) & \cdots & p_{nn}(k) \end{bmatrix}$$

数学上可以证明 $P(k) = P^k(1)$。

对固定的状态 j，不管链在某一时刻从什么状态出发，通过长时间的转移，到达状态 j 的概率都趋近于 P_j，这就是马尔科夫链的遍历性。马尔科夫链的遍历性为我们提供了一种研究事物发展的极限概率的好方法，利用这一方法，我们可以预测未来中国农村劳动力转移趋于稳定的概率。

8.3.2 样本数据来源及马尔科夫链构造

根据马尔科夫链的基本原理，笔者设计问卷，分别调查了安徽、湖北、河南、江西、四川、湖南 6 省的农村劳动力打工状况，由于调查来自中国农村劳动力输出大省，所以具有一定代表性。此次调查共发放问卷 1500 份，回收问卷 1280 份，有效问卷 1194，回收率为 85.3%，问卷有效率为 93.3%。调查问卷设置 9 个调查指标：①2007 年和 2008 年在家务农；②2007 年在家务农，2008 年在家附近打工半年以上；③2007 年在家务农，2008 年外出打工半年以上；④2007 年在家附近打工半年以上，2008 年在家务农；⑤2007 年和 2008 年均在家附近打工半年以上；⑥2007 年在家附近打工半年以上，2008 年外出打工半年以上；⑦2007 年外出打工半年以上，2008 年在家务农；⑧2007 年外出打工半年以上，2008 年在家附近打工半年以上；⑨2007 年外出打工半年以上，2008 年外出打工半年以上，各种状态组合见表 8-4。

表 8-4 农村劳动力三种状态调查　　　　（单位：人）

项　目	2008 年在家务农	2008 年在家附近打工	2008 年外出打工	求和
2007 年在家务农	83	31	53	167
2007 年在家附近打工	6	260	17	283
2007 年外出打工	30	37	677	744

注：根据问卷调查的统计。在家附近打工界定为本县（镇）内打工半年以上。外出打工界定为跨县打工半年以上。在家务农、在家附近打工和外出打工状态均指半年以上

8.3.3　稳定概率求解

很明显，无论是城镇还是农村的马尔科夫链状态空间中的子集里的状态都是互通的，因此城乡的马尔科夫链是不可约的。农村劳动力在家务农、在家附近打工和外出打工三种状态是互通的，而且具有非周期性，符合马尔科夫链的非周期的和不可约性。马尔科夫链具有概率极限，根据马尔科夫链的遍历性，即，$\lim\limits_{n \to \infty} p_{ij}(n) = p_j$

解线性方程组，计算农村劳动力转移的极限概率分布 p_j，

$$P_1 = 83/167\ P_1 + 6/283\ P_2 + 30/744\ P_3$$

$$P_2 = 31/167 P_1 + 260/283\ P_2 + 37/744\ P_3$$

$$P_3 = 53/167 P_1 + 17/283\ P_2 + 677/744\ P_3$$

$$P_1 + P_2 + P_3 = 1$$

解上述方程，分别得到：$P_1 = 0.0587$、$P_2 = 0.4403$、$P_3 = 0.5010$、0.0587、0.4403 和 0.5010 是构造的三种状态的马尔科夫链的稳定极限概率。P_j 不依赖于初始状态，这表明，$\forall \varepsilon > 0$，$\exists N$，当 $n > N$ 时，总有 $P_{ij}(n) \in (\pi_j - \varepsilon,\ \pi_j + \varepsilon)$。

利用 Matlab 7.0 软件求得的转移概率极限为

$$\begin{pmatrix} 0.0589 & 0.4374 & 0.5038 \\ 0.0581 & 0.4541 & 0.4878 \\ 0.0593 & 0.4289 & 0.5118 \end{pmatrix}$$

$n = 24$（年）极限概率分别是：$P_1 = 0.0589$，$P_2 = 0.4541$，$P_3 = 0.5118$。

利用 Matlab 7.0 软件求得 24 年时的转移概率极限与马尔科夫链的稳定极限频率的误差 ε 小于 0.01。

8.3.4　结果及分析

无论农村劳动力开始的状态是在家务农、在家附近打工还是外出打工，大约经过 24 年，农村劳动力选择在家务农、在家附近打工还是外出打工的概率均趋于稳定，分别是 5.89%、45.41% 和 51.18%。

从马尔科夫链极限概率的预测结果看，未来劳动力就业的主要方式仍然是外出打工，这一比例高达 51.18%；在家附近打工也是农村劳动力就业的主要方式，其概率为 45.41%；在家乡务农的概率将大大减少，约为 5.89%。

8.4 趋于稳定时期中国农村劳动力规模预测

8.4.1 分析方法：Logistic 模型

Logistic 模型常用来做人口预测，特别是利用统计数据所作的时序图和 Logistic 模型的图形非常接近，预测结果和实际值的拟合效果非常好，从而测算中国农村劳动力转移达到稳定时农村劳动力在家务农、在家附近打工和外出打工这三种状态的数量。

8.4.2 数据来源

本书用统计年鉴的中国乡村就业人数代表中国农村劳动力（表 8-5）。中国乡村就业人员在 1978～1990 年呈现上升趋势，且幅度较大。但是，自 1990 年后，乡村就业人员增长趋势趋于平稳，本书采用 Logistic 模型来拟合 1978～2007 年乡村就业人员的数据。

表 8-5　Logistic 模型预测 1978～2007 年中国乡村就业人数　（单位：亿人）

年　份	实际值	预测值	年　份	实际值	预测值	年　份	实际值	预测值
1978	3.063 8	3.065 2	1988	4.006 7	4.508 6	1998	4.902 1	4.853 4
1979	3.102 5	3.278 2	1989	4.093 9	4.574 6	1999	4.898 2	4.864 8
1980	3.183 6	3.478 3	1990	4.770 8	4.630 6	2000	4.893 4	4.874 2
1981	3.267 2	3.6633	1991	4.802 6	4.678 1	2001	4.908 5	4.882 1
1982	3.386 7	3.832 0	1992	4.829 1	4.718 1	2002	4.896 0	4.888 6
1983	3.469 0	3.983 8	1993	4.854 6	4.751 7	2003	4.879 3	4.894 0
1984	3.596 8	4.118 9	1994	4.880 2	4.779 9	2004	4.872 4	4.898 5
1985	3.706 5	4.237 9	1995	4.902 5	4.803 5	2005	4.849 4	4.902 2
1986	3.799 0	4.341 6	1996	4.902 8	4.823 2	2006	4.809 0	4.905 3
1987	3.900 0	4.431 4	1997	4.903 9	4.839 7	2007	4.764 0	4.907 9

8.4.3 模型预测

Logistic 模型常用来预测人口趋势，其曲线方程是

$$y = \frac{k}{1 + ae^{-bx}} \qquad (8\text{-}1)$$

式中，y 是每年的乡村就业人口数量（亿人）；x 为时间（年）；k 为常数。如果 y 为累积生长量，且 x_1，x_2，$\cdots$，x_n 组成等差数列，则

$$k = \frac{y_2{}^2(y_1 + y_3) - 2y_1y_2y_3}{y_2{}^2 - y_1y_3} \qquad (8\text{-}2)$$

式中，y_1，y_2，y_3 并非前三次的观测值，他们对应的 x_1，x_2，x_3 满足等差数列。为了比较全面地反映人口变化的历史趋势，本节取 $x_1 = 1$，$y_1 = 3.063\ 80$；$x_2 = 15$，$y_2 = 48\ 291$；$x_3 = 29$，$y_3 = 4\ 809$ 代入方程（8-2）中得：

$$k = 4.920\ 2,\quad a = 0.731\ 18,\quad b = 0.189\ 15$$

则拟合方程为

$$y = \frac{4.920\ 2}{1 + 0.731\ 18e^{-0.189\ 15x}} \qquad (8\text{-}3)$$

根据预测数据与实际数据绘制图 8-4，从中国乡村就业人口实际值与预测值的拟合图看，拟合效果较好，说明预测结果可信。

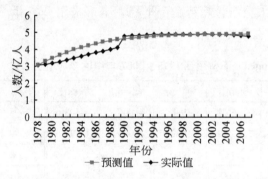

图 8-4　中国乡村就业人口实际值与预测值的拟合图

8.4.4　计算结果

根据式（8-3）得到 1978～2007 年乡村就业人数的预测值（表 8-5）。根据预测值和实际值所作的拟合图（图 8-4），总体拟合情况较好，1978～1990 年拟合误差较 1990 年之后的拟合误差要大，主要原因在于 1990 年前后的统计口径不同。根据式（8-3）又得到 2008～2031 年乡村就业人数的预测值（表 8-6）。根据第 24 年乡村就业人口预测值 4.920 1 亿人和利用马尔科夫链预测的稳定概率 $P_1 = 0.058\ 9$、$P_2 = 0.454\ 1$ 和 $P_3 = 0.511\ 8$，可计算出第 24 年在家

务农的农村劳动力数量为 0. 289 794 亿人；在家附近打工的农村劳动力数量为 2. 234 217 亿人；外出打工的农村劳动力数量为 2. 518 107 亿人。

表 8-6 Logistic 模型预测 2008—2031 年中国乡村就业人数（单位：亿人）

年　份	预测值	年份	预测值	年份	预测值	年份	预测值	年份	预测值
2008	4.9100	2013	4.9162	2018	4.9187	2023	4.9196	2028	4.9200
2009	4.9118	2014	4.9169	2019	4.9189	2024	4.9197	2029	4.9200
2010	4.9132	2015	4.9175	2020	4.9191	2025	4.9198	2030	4.9200
2011	4.9144	2016	4.9180	2021	4.9193	2026	4.9199	2031	4.9201
2012	4.9154	2017	4.9183	2022	4.9195	2027	4.9199		

8.5　本章小结

本章区分了农村劳动力在家务农、在家附近打工和外出打工三种就业状态，根据抽样调查的数据和马尔科夫链原理对中国农村劳动力转移就业稳定期进行预测，同时预测处于稳定时期的三种就业状态的概率。利用 1978～2007 年中国乡村就业人口的数据和 Logistic 模型对中国乡村就业人口总量进行预测。研究的主要结论如下。

1）大约经过 24 年农村劳动力转移趋于稳定。无论农村劳动力开始的状态如何，从 2009 年起，大约再经过 24 年，农村劳动力选择在家务农、在家附近打工和外出打工的概率均趋于稳定，分别是 5.89%、45.41% 和 51.18%。因此，需要加快中国城镇的发展和建设，吸收大量农村人口就业，城镇化带动了第三产业的发展，可创造更多的就业机会；继续实行控制人口数量，提高人口素质的计划生育政策。

2）外出打工仍然是未来劳动力就业的主要方式。从马尔科夫链极限概率的预测结果看，稳定期外出打工的比例高达 51.18%，城镇化是农村劳动力转移就业的重要方式。因此，要加快城市的发展和建设，吸收农村劳动力的转移就业。城市化吸收了大量农村人口，带动了第三产业的发展，创造了更多的就业机会。城市化是现代化的重要标志，重点发展大城市，强化城市功能，使之成为区域经济中心、科技创新中心和教育文化中心。充分发挥中小城市在城市化进程中的重要作用，加快人口和产业集聚，有条件的可以向大中城市发展。大力培育中心镇，提高小城镇建设水平，增强吸纳农村劳动力的能力和为农服务的功能。

3）在家附近打工也是农村劳动力转移就业的主要方式。在稳定期，农村劳动力在家乡附近打工的比例为 45.41%，表明在县城就近就业将是今后相当长时期的一个重要趋势。发展县域经济，促进农民工就近转移就业，这种方式不改变农民工的文化背景和基本生活方式，农民工很容易适应。农民工在乡镇企业或本县内就业，有利于充分利用农闲时间从事第二、第三产业，提高农民工家庭收入水平，有利于区域发展平衡，避免"大城市病"。发展乡镇与县域经济，发挥它们吸收农村劳动力的积极作用。

4）农村劳动力中完全从事农业生产的比例大大减少。预测结果是，到达稳定期时，在家乡务农的比例仅为 5.89%，未来直接从事农业生产的劳动力会大幅度减少。在家务农人数的减少，对中国农业生产率水平提出更高的要求，农业生产率水平的提高主要体现在机械化水平和科学的生产与管理，归根结底是农业人口素质的提高。延长农业生产加工和流通链，扩大农村内部对农村劳动力的吸收。

第 9 章
主要结论、政策建议
及有待解决的问题

9.1 主 要 结 论

9.1.1 中国农村劳动力转移呈现新的特点

进入 21 世纪，中国已经进入工业化的中期阶段，具备了"工业反哺农业，城市带动农村"的经济条件。中国农村劳动力转移呈现新的特点：

第一，劳动力供给发生变化。中国农民工劳动力市场从需求主导转向供给主导，劳动力市场存在供需失衡；年轻劳动力供给由无限供给转变为有限供给；农民工市场结构发生变化，新生代农民工成为农民工主体。

第二，劳动力需求发生变化。农民工成为城镇劳动力市场不可或缺的重要组成部分，中国第二、第三产业对农村劳动力是有需求的，如果国民经济各产业都是开放的，产业间没有行业壁垒，即呈完全竞争状态，那么通过市场对劳动力资源的重新配置，会使各产业的生产率逐步趋于一致；中国第二产业和第三产业的就业弹性波动很大，总体趋势趋于减小，说明第一产业内部就业容量有限，第二、第三产业增长对劳动力的需求不稳定。中国经济增长没有创造足够的就业机会，经济增长对农村劳动力需求增长乏力。

第三，农村劳动力转移就业去向发生变化。农村劳动力转移在空间上有地域性，当前跨省转移增多，但仍旧是向东部地区集聚，省内就近转移就业比重减少；在国有与集体性质企业就业的比例减少，农民工主要是在城镇的初级市场就业；农村劳动力转移就业以第二产业为主，第三产业稳中有升。

第四，农村劳动力转移就业方式发生变化。由兼业式为主逐步转变为全职式就业；由体力型就业逐步转变为技能型就业；由农业劳动力只身转移就业逐步转向举家转移就业。

9.1.2 农村劳动力自身及家庭因素影响其跨省转移意愿

在同样的经济社会和政策制度背景下，有些农村劳动力转移了出来，有些农村劳动力仍然滞留在农村，主要原因在于农民自身素质及其家庭的条件的不同。根据新人口迁移理论和人力资本理论，本书分析了个人禀赋差异及家庭因素对其跨省转移意愿的影响，主要分析影响农民做出是否跨省转移的个人因素、家庭因素两个方面。采用 Logit 决策模型对 6 省农户调查的数据进行回归，建立了在相同的宏观经济和政策制度大背景下个体及家庭因素对其跨省转移与否的决策模型。主要结论有：相对于国有企业，在民营企业和个体企业就业的农村劳动力更倾向于在省内转移；打工收入越高、打工年限越长的农民工越倾向于跨省转移，打工收入在 1 万元以下对跨省转移没有显著影响，但打工收入在 2 万元以上对跨省转移有显著影响；家庭年收入对劳动力跨省转移的影响呈现倒 U 形，年收入在 1 万以下和 2 万以上的劳动力都愿意在省内转移。这一研究结论与国内部分学者的研究结论基本一致，也验证了斯塔克的人口迁移理论。家庭耕地面积越大，跨省转移意愿越低。

9.1.3 农村劳动力转移有向东部省市集聚的趋势

空间集聚效应主要表现在省域转移方面，中国农村劳动力转移有向东部省市集聚的趋势，这一迁移特点有着深刻的经济、文化、政策、制度和历史等原因。向沿海发达地区转移的趋势逐年增强，侧面反映了增长极理论和非均衡增长理论的现实状况。本书从迁入省的经济因素和人口因素选取相应的指标，用 Logit 模型和 2005 年 1% 全国人口抽样调查的数据对影响农村劳动力跨省转移行为进行回归分析，研究的主要结论如下：改革开放以来，农村劳动力省内转移和省际转移具有明显的梯度分布和相对集中的分布规律，劳动力转移分布相对集中在广东、福建、江苏、浙江、北京、上海和天津；东部省份第二、第三产业之和与 GDP 增长率是影响农村劳动力东部集聚的原因，第二、第三产业在解决农村劳动力转移就业中起着不可替代的作用；东部省份的城镇人均收入与失业率显著地影响农村劳动力向东部集聚，解决经济增长对就业的带动主要是通过经济结构转型升级，重构经济增长活力；东部省份的对外依存度对农村劳动力向东部集聚有正的影响，加快外向型经济发展，有利于促进农村劳动力转移就业；东部省份的城市化水平对农村劳动力向东部集聚有负的影响，迁入省的城市化水平提高，迁入人口将减少；东部省份的总人口和文盲率对农村劳动力跨省迁移意愿有负的影响，因此，现阶段，东部省份控制城市人口规模确有必要。此外，大幅增加教育投入，提高国民素质，实现从人口资源大国向人力资本大国迈进。

9.1.4　城乡劳动力资源禀赋存在差异

人力资本是指劳动者受到教育、培训、经验、转移和保健等方面的投资而获得的知识和技能的积累。中国城乡劳动力资源禀赋存在差异，农村劳动力的人力资本低于城镇劳动力的人力资本，城乡劳动力资源禀赋差异使城乡劳动力具有不同的供给弹性。劳动力供给弹性是劳动力供给变动对工资率变动的反映程度，两者的差别导致中国城镇存在着双重劳动力市场，它是中国城乡二元经济结构在劳动力市场上的反映。在经济发展的不同时期，农民工与城镇劳动力关系是不同的，两者关系的变化有一定的规律性：经济发展初期主要表现为互补关系，并且互补关系逐渐增强；随着国民经济的发展，在城市现代文明的熏陶下，农民工文化素质和职业技能不断提高，其人力资本与城镇劳动力有趋同趋势。

9.1.5　农民工进城务工与城镇劳动力失业没有必然关系

第一，中国城镇存在着双重劳动力市场，它是中国城乡二元经济在劳动力市场上的反映。中国城乡劳动力资源禀赋差异使城乡劳动力具有不同的供给弹性，两个弹性不同的劳动力供给，将城镇劳动力市场"自然"地"分割"为两个市场。中国农民工人力资本比城镇劳动力低，这影响他们在城镇的就业能力和就业范围。加强农民工职业教育和技能培训，可以提高他们的劳动竞争力。第二，在城镇高级劳动力市场上，就业岗位主要是城镇正规部门，农民工与城镇劳动力在人力资本禀赋差异，决定他们是互补关系，农民工无法替代城镇劳动力就业。第三，在城镇初级劳动力市场上，城乡劳动力主要表现为替代关系，农民工进城确实会挤占城镇就业机会，但工资需求过高也部分地影响到城镇劳动力就业。第四，笔者利用异质生产要素模型和希克斯互补弹性公式，计算出当前农村劳动力与城镇劳动力之间主要是互补关系，农民工进城务工与城镇劳动力就业是相容的，农民工进城对城镇劳动力就业具有积极影响，回归模型证实这一结论。第五，农民工进入城镇成为城镇第二、第三产业的重要力量，但目前中国城镇第二、第三产业 GDP 的增长对城镇就业增加的影响有限，亟须调整和优化城镇经济结构，大力发展劳动密集型加工业和服务业。第六，城镇固定资本投资规模是影响城镇劳动力就业的主要因素，固定资本投资是指生产过程中物资和货币的投入，对促进就业有着重要作用。

9.1.6 大约经过24年中国农村劳动力转移趋于稳定

受经济发展水平的制约，劳动力转移及城市化本身是一个长期过程。笔者分析了农村劳动力的三种就业状态：在家务农、在家附近打工和外出打工，对处于这三种状态的农村劳动力进行问卷调查，根据抽样调查的数据和马尔科夫链研究方法进行预测。研究结果是，大约经过24年，农村劳动力选择在家务农、在家附近打工和外出打工的概率均趋于稳定，分别是5.89%、45.41%和51.18%。未来劳动力就业的主要方式仍然是外出打工，城镇化是促进农村劳动力转移就业的重要途径，加快中国城镇的发展和建设对吸纳农村劳动力具有重要作用。在家附近打工也是农村劳动力转移就业的主要方式，在县城就近就业将是今后相当长时期的一个重要趋势。发展县域经济，促进农民工就近转移就业，有利于充分利用农闲时间从事第二、第三产业，提高农民工家庭收入水平，有利于区域发展平衡，避免"大城市病"。在家乡务农的比重将大大减少，农业人口的减少对中国农业生产率水平提出更高的要求。笔者利用《中国劳动统计年鉴》中中国乡村就业人口1978～2007年的数据，采用Logistic模型对中国乡村就业人口总量进行预测，计算出从2009年算起，第24年在家务农的农村劳动力数量为0.289 794亿人；在家附近打工的农村劳动力数量为2.234 217亿人；外出打工的农村劳动力数量为2.518 107亿人。

9.2 促进中国农村劳动力转移就业的政策建议

9.2.1 调整产业结构促进农村劳动力转移

首先，宏观政策和产业政策的制定要遵循就业优先原则。政策的着眼点是通过发育劳动力市场来增加就业机会，树立就业优先原则统领宏观经济政策和产业政策的理念，就业政策始终是关系经济发展、社会安定的重要政策领域，清除不利于劳动力市场发育和不利于扩大就业的政策屏障。因此，扩大就业不仅应该成为政府制定经济政策的独立目标，还应该作为一个优先目标，一个调节宏观经济周期的政策手段，务必要放在保障就业的天平上予以检验。

其次，政府要利用法律和其他规制手段，维护劳动力市场的竞争性。对于那些处于劳动力市场劣势地位的农民工，政府则需要通过户籍制度改革和统筹城乡劳动力市场的途径，帮助他们获得平等的就业机会和平等的劳动力市场待遇。中国正在从劳动力的无限供给阶段转向有限供给阶段。一个对劳动者实施良好保护的劳动力市场，就是一道保持和增进社会和谐的有力保障线。目前，无论是农村就地转移还是外出的非农就业，都处于不稳定的就业环境之中。因此，为农村劳动力转移创造更好的政策环境，挖掘劳动力供给的制度潜力，消除目前劳动力市场上存在的对农民工的种种制度歧视，可以加大对农村劳动力转移的激励，增加劳动力供给。

最后，普遍和充分的就业是保持社会和谐的物质基础，有助于抑制收入差距的扩大。因此，能否保持和扩大就业，应该成为各项经济政策制定的首要依据。目前，许多地方政府的经济政策，仍然把 GDP 和财政收入作为第一考虑因素，而这些目标与就业的扩大并不总是一致的。经济增长固然是就业增长的前提和必要条件，但却不是充分条件。国际和国内经验都表明，经济增长并不自动导致就业最大化，而且一定的增长速度并不以相同的比例带动就业增长。一般来说，实行不同的经济发展战略，形成不同的经济增长模式，通常会带来不同的就业效果。那些在经济发展的较早阶段注重发展重工业或所谓"高新产业"的国家和地区，偏重资本密集型产业发展，其产业结构在后期就缺乏吸收劳动力的能力，这样的经济增长，不能实现就业最大化。劳动密集型加工工业和第三产业发展有助于增加劳动力就业，这种经济发展模式成为我们增加农村劳动力转移就业的必然选择。

9.2.2　建立培训服务体系提高农民工综合素质

在中国，目前不包括农民工的城镇就业总人数是 2.9 亿人，乡镇企业和外出农民工有 2.3 亿人。也就是说，假设农民工都是在非农产业就业，他们几乎构成了非农就业的一半。因此，他们的劳动素质不仅关系到自身的就业机会和收入水平，更关系到中国经济的竞争力。随着劳动力成本的提高，中国产业的竞争力主要取决于劳动生产率的提高。实际上，教育回报率的提高就意味着劳动生产率的提高。目前农村劳动力的平均受教育年限为 6.8 年，意味着距离完成义务教育还差 2.2 年，如果填补上这个差距，劳动者收益可提高 8.8%；如果把农村劳动力的教育年限提高到 12 年，相当于完成高中教育，劳动力收益则可提高 21.1%。为了更好地控制人口数量，提高人口素质，优化人口结构，促进人口与资源、环境和社会经济的协调发展，政府应继续采取稳定低生育政策，有效控制人口规模，全面实施提高劳动者素质的人口发展战略。研究表明，在现有基础上，如果将制造业中职工的学历全部提高到高中程度，企业劳动生产率则可以提高24%。采取这样一种政策，对增加劳动者个人的收益的影响也是巨大的，并可以调动起家庭投资教育的积极性，这既是短期扩大内需的一个着力点，也是实现长期经济增长的一个支撑点。提高劳动者素质，首先，要抓好基础教育，确保农村九年义务教育的实施。其次，更要多地关心留守儿童的学习、教育和身心健康。对于进入城市的农民工子女，要充分利用和增加城市教育资源，让他们接受正规教育，不得强制收取借读费和择校费，不得以任何理由拒收符合条件的农民工子女入学，创造条件让他们的子女异地接受免费义务教育。对于农村劳动力的培训，要在提高认识的基础上，调动输出地、输入地、用工单位和劳动者本人的积极性，各级政府应加大政策支持和经费投入力度，整合培训资源，每个市、县、区都应建立几所中等职业学校、技工学校和农民工专业技能培训学校，使每个农村青年都能掌握一两项专业技能。有些地方对初、高中毕业生再增加一至两年职业技能教育与培训，实施"3＋1"或"3＋2"教育，提高他们的就业能力。最后，根据市场需求和农民意愿，大力推广"定单式"培训和"定向"培训，提高培训的针对性和适效性。

9.2.3 政府有效引导农村劳动力合理有序转移

由于农业利益比较低、区域经济发展不平衡以及农产品价格"剪刀差"问题，沿海发达地区和大城市对于民工的诱惑力更强，对农村劳动力转移就业的拉力效应明显。一些地区的农业生产因高素质劳动力的过度流失受到严重影响，粗放经营乃至抛荒的现象屡见不鲜。农民工大量流入城市不仅对城市劳动力市场产生了巨大压力，而且对城市社会秩序也产生了很大冲击。为此，政府应采取有效措施。首先，对跨区域农村剩余劳动力的流量、流速以及流向开展系统的统计与预测工作，运用宏观调控手段进行预告和疏导，提高农村剩余劳动力转移的组织化程度。其次，在输出地建立外出劳动力档案，这既为劳务输入地提供信息，也为输出地管理决策提供依据。最后，为农民工提供必要的社会保障，提高他们的政治、经济和社会地位。农民问题是中国"三农"问题的核心，农民工是中国农民中的精华，在第二、第三产业的从业人员中已占相当比重，政府应明确农民工产业工人的主体地位，取消"农民工"的称谓，使其与城市职工同等身份、同等待遇、同等地位，参与城市就业所在地的政治社会生活，拥有选举权和被选举权。农民工应公平地享受基本的社会保障和最低工资制度，政府应为其改善工作环境。从长远来看，农民工工资待遇不能只是维持简单再生产，而应满足扩大再生产的需要。并随着经济发展水平的不断提高，政府应建立工资不断增长的长效机制，建立健全各种劳动保护法规，加大执法力度。此外，还应发展城市的民间房地产业，提供大量价格低廉、适于农民居住的房屋，建立廉租房制度，为农村剩余劳动力转移创造良好的居住环境。

9.2.4　通过制度创新实现农村劳动力彻底转移

受经济发展水平和劳动力素质等因素制约，农村剩余劳动力转移具有渐进性，由农民变市民的转化过程需要相当长的时间。作为农村劳动力转移的目标，实现农村剩余劳动力必须实行彻底的转移，这需要一系列制度创新。

首先，城镇建设体制的创新。中国传统的城镇建设投资体制是一元的，无论城镇基础设施、生产设施还是居民住房建设都由国家一手包揽。今后，可以采取多元化的投资体制以推进城镇建设。在国家规划的基础上，乡镇企业、农户和其他经济实体可以通过住房自建、生产设施自建、公共基础设施集资共建的方式进行建设。政府要引导现代工业、需要集聚的第三产业和具有非农产业经验的农村劳动力向县城和中心乡镇集中，建设一批市民和农民兼容、城镇非农产业和乡镇非农产业兼有的混合型小城市。

其次，户籍制度的创新。随着市场经济的形成与发展，人口的合理流动已成为一股不可阻挡的潮流；但城乡二元户籍制度的存在，严重制约了中国劳动力资源的优化配置。农民工的问题皆源于旧的户籍制度，要彻底解决农民工问题，促进其向工人阶级转化，就必须继续深化城乡户籍制度改革，逐步取消对农民工的户籍限制，允许有条件的农民工成为正式的城市居民，真正成为当代工人阶级的一员。要加快建立身份证电子管理系统，以替代户籍制度，让身份证系统更加公平地、人性化地、高效地发挥管理的作用。废除二元户籍制度，必将促进劳动力在城乡的合理流动，加速中国的工业化和城镇化进程。

再次，土地制度的创新。农村剩余劳动力要转移出去，农民的土地权利应该得到尊重和保护。中国一部分农民鉴于非农就业机会的不稳定性，把土地作为最后的生存保障，但由于中国土地制度的深层次矛盾，近年来耕地的粗放经营乃至抛荒现象也屡见不鲜。解决农地产权问题极为现实的是建立一种土地使用权流转制度，促使转移的劳动力的土地向种田能手集中，以实现农业规模经营。在非农产业发达的农村在自愿的基础上通过转包、转让和联合服务等办法允许土地经营权的依法有偿转让，也可以考虑以土地的使用权作为合作资本，让那些已转移的劳动力利用承包期内的土地使用权和经营权同种田能手合作，并取得合理补偿，形成互利共赢。

最后，建立面向全社会的社会保障制度。从长远来看，应建立面向全体城乡劳动者的统一的社会保障体制。根据农民工工资偏低和流动人口的不同情况，建立多层次、低水平和广覆盖的社会保障体系。一部分在城镇已有稳定职业并定居的人员，可纳入城镇的社会保障体系。对于临时在城镇打工的农民工，针对他们的需要，先让他们参加工伤保险和大病医疗保险等。鼓励企业为农民工在农村缴纳养老保险，农民工可以到当地社保部门自由参保和退保。建立方便合理的农民工养老保险跨省区转移机制，不论转移到什么地方，他们都可以凭卡缴纳社会养老保险费，凭卡领取社会养老保险金。通过扩大社会保障刺激消费，不仅可以改善民生，而且有利于启动因出口下降而闲置的生产能力，促进国民经济的可持续发展。

9.2.5 统筹城乡发展多渠道吸收农村劳动力

近代以来的城市发展历史证明，城市化是工业化的结果。工业化吸收了大量农村人口进城就业，促进了城市规模的扩张，带动了第三产业的发展，创造了更多的就业机会，形成了更多的城市收益。城市化进程的加速也是人口流动的结果。大规模的农村人口以较低的生活水平和就业条件进入城市，为企业实现资本积累和城市增加公共剩余提供了低成本的条件。为此，应重点发展大城市，努力增强城市综合实力，强化城市功能，提高城市品位，使之成为区域经济中心、科技创新中心和教育文化中心。充分发挥中小城市在城市化进程中的重要作用，加快人口和产业集聚，有条件的可以向大中城市发展。大力培育中心镇，提高小城镇建设水平，增强吸纳农村劳动力的能力和为"三农"服务的功能。树立经营城市的理念，积极探索城市建设管理的新途径。尽管民工外出务工对农业生产带来了不利影响，但这是由于生产要素市场的发育不充分所致。改造农业决不能靠把农民禁锢在土地上的方式来实现。增加农民收入的方法有两条：一是靠提高农产品的价格，二是靠提高农业劳动生产率。现在靠价格提高来增加农民收入的潜力有限，农业劳动生产率的提高又不能靠把农民限制在有限的土地上，而关键要靠扩大农业规模经营来实现。通过进一步推进农村非农化，特别是加强以农业产前、产中和产后服务为特征的农村第三产业的发展，将一部分劳动力就地转移到非农产业中去。农民流动是农村剩余劳动力资源得到有效配置的重要途径，资金的回流极大地有利于农村面貌的改观、促进社会主义新农村建设、构建城乡协调发展的和谐社会。

9.3 有待进一步研究的问题

1）农村劳动力流动转移过程。我们注意到，劳动力从农村流动到城市后，并不打算在城市长期停留和居住下来，而是在城市工作和生活一段时间后，再回流到农村。事实上，有很多农村劳动力已经回流到家乡，这与其他国家的迁移过程大不相同。是什么因素决定部分劳动力流动到城市而其余劳动力留在农村继续农业生产？面对相同的制度环境和人口迁移模型，为什么不同的人群做出了不同的选择？流动到城市的劳动力面对相同的制度环境，为什么只有少部分劳动力选择定居在城市，完成了迁移，而大多数又回到了农村？中国农村劳动力转移的影响因素很多，这些因素之间是相互影响相互作用的，本书分别从个人家庭因素、城镇失业因素、政策制度因素、省域经济因素和时间因素进行了具体分析，但这种单因素分析尚不能弄清各因素间的相互作用对农村劳动力转移就业的影响。希望以后可以建立一个结构方程，将所有的影响因素放在这个方程里，综合进行分析，使实证研究的结果更具有解释力。

2）目前学者们研究了二元体制下制度障碍对农村劳动力流动的影响，但对其作用机理分析不够。与户籍制度相关的社会保障制度如何改革，已有的研究侧重于城市本位的研究，而缺少从农民工和全体农民的角度、从以人为本的高度来探讨。中国农村劳动力转移的影响因素可以分为必然因素和偶然因素，根据已有的研究成果，本书的研究主要限于必然因素的研究，希望在今后的研究中可以建立一个扰动模型，将诸如金融危机或制度变革等偶然因素作为扰动项，具体分析在有扰动项干预的情况下，农村劳动力的转移流动会做出怎样的反应。

3）中国农村劳动力能否留在城市，从长期来看，住房问题可能是个大问题。那么，现在的住房制度在市场化后如何影响劳动力的迁移决策？能否通过建立起农民社会保障制度，而使土地的保障功能弱化？中国农村劳动力转移程度的研究以及转移程度指标体系的构建，农村劳动力转移的行业分布状况等都具有理论和现实意义。如何巩固已经转移的农村劳动力的成果，增强农村劳动力转移的稳定性；如何揭示农村劳动力转移与产业间的关系，在产业转移升级的过程中实现与农村劳动力转移协调推进，这些问题有待笔者今后进一步研究。

参 考 文 献

白南生，何宇鹏．2002．回乡，还是外出？——安徽四川二省农村外出劳动力回流研究．社会学研究，(3)：64-78．

白南生．1996．农村劳动力外出对农业生产影响的实证研究．中国农村经济，(8)：15-21．

白南生．2006．中国转轨时期劳动力流动．北京：社会科学文献出版社．

白云涛，甘小文．2005．江西劳动力转移的动态模型分析．企业经济，(7)：21-22

蔡昉，等．2009．为什么劳动力流动没有缩小城乡收入差距．经济研究，(9)：4-10．

蔡昉，都阳，王美艳．2001．户籍制度与劳动力市场保护．经济研究，(12)：41-49．

蔡昉，都阳，王美艳．2003．劳动力流动的政治经济学．上海：上海人民出版社．

蔡昉，都阳，王美艳．2008．农村剩余劳动力的新估计及其含义．中国人口与劳动问题报告No.9．北京社会科学文献出版．

蔡昉，都阳．2000．中国地区经济增长的趋同与差异——对西部开发战略的启示．经济研究，(10)：30-37．

蔡昉，都阳．2004．经济转型过程中的劳动力流动——长期性、效应和政策．学术研究，(6)：16-22．

蔡昉，王德文，都阳．2001．劳动力市场扭曲对区域差距的影响．中国社会科学，(2)：4-14．

蔡昉，王德文．2003．作为市场化的人口流动——第五次人口普查分析．中国人口科学，(5)：11-19．

蔡昉，王美艳．2002．中国经济增长究竟有多快？．新视野 (4)：15-18．

蔡昉，王美艳．2004．中国城镇劳动参与率的变化及其政策含义．中国社会科学，(4)：68-79．

蔡昉，杨涛．2000．城乡收入差距的政治经济学．中国社会科学，(4)：11-22．

蔡昉．1997．劳动力流动、择业与自组织过程中的经济理性．中国社会科学，(4)：127-138．

蔡昉．2000．中国城市限制外地农民工就业的政治经济学分析．中国人口科学，(4)：4-8．

蔡昉．2001．劳动力迁移的两个过程及其制度障碍．社会科学研究，(4)：44-51．

蔡昉．2005．劳动力流动与城乡差距．中国劳动力市场转型与教育．北京：商务印书馆．

蔡昉．2005．农村剩余劳动力流动的制度性障碍分析——解释流动与差距同时扩大的悖论．经济学动态，(1)：35-39．

蔡昉．2007．中国经济面临的转折及其对发展和改革的挑战．中国社会科学，(3)：4-12．

蔡昉．2007．中国劳动力市场发育与就业变化．经济研究，(7)：4-14．

蔡昉．2007．中国流动人口问题．郑州：河南人民出版社．

蔡昉．2008．刘易斯转折点后的农业发展政策选择．中国农村经济，(8)：4-15．

蔡昉．2009．金融危机对就业的影响及应对政策建议．中国发展观察，(3)：5-9．

蔡新会，蔡会明．2008．农民工乡村社会资本的特点及其进城社会资本的缺失补救．农村经济，（6）：107-109．

陈晖．2008．农村劳动力流动中的社会资本分析．农村经济，（6）：78-82．

陈吉元，胡必亮．1994．中国的三元经济结构与农业剩余劳动力转移．经济研究，（4）：14-22．

陈剑波．2000．制度变迁与乡村非正规制度．经济研究，（1）：48-55．

陈来，杨文举．2005．中国农业劳动生产率的稳态趋同：产出增长率与劳动力转移的影响．产业经济研究，（2）：11-16．

陈朔．2005．径济增长速友与农村劳动力转移．南开经济研究，（5）：45-64．

陈蔚纯．2001．用托达罗模型对中国人口流动的实证简析．经济前沿，（12）：39-41．

陈锡文．1993．九十年代中国农村改革发展．天津：天津人民出版社．

陈锡文．2004．资源配置与中国农村发展．中国农村经济，（1）：4-9．

陈仲常，臧新运．2006．农村劳动力转移的区域差异与跨区流动度的估量．经济问题，（1）：49-51．

程名望，刘晓峰．2005．中国农村劳动力转移：从推到拉的嬗变．浙江大学学报（人文社会科学版），（11）：105-112．

程名望，史清华，赵永桐．2007．我国农民工进城务工区域差异的实证分析．经济地理，（1）：151-158．

崔传义．2001．我国农村劳动力转移的历程、特点及面临的新形势．经济研究参考，（3）：1-20

崔传义．2004．构建城乡统一、平等就业的劳动力市场．调查研究报告，（204）：1-18．

崔传义．2004．中国农民流动观察．太原：山西经济出版社．

崔传义．2006．公平对待农民工需要解决的十个政策问题//国务院研究室编．中国农民工调研报告．北京：中国言实出版社．

崔传义．2007．妥善处理劳动力转移与新农村建设的关系．红旗文稿，（6）：5-8．

单正丰，季文，陈如东．2009．农村劳动力迁移中的两级遴选机制与群体分化——农村劳动力迁移过程中的公共政策选择．农业经济问题，（6）：54-61．

邓大松．2008．对我国农村剩余劳动力流动趋势的预测．统计与决策，（15）：94-96．

邓鸿勋，陆百甫．2004．走出二元结构——农民就业创业研究．北京：中国发展出版社．

邓一鸣．1989．农村劳动生产率与农业劳动力转移相关增长规律初探．经济问题，（10）：18-27．

丁仁船，吴瑞君．2006．农民工对城市本地劳动力的就业替代模型及其实证分析．中国人口科学，（4）：43-50．

丁霄泉．2001．农村剩余劳动力转移对我国经济增长的贡献．中国农村观察，（2）：18-24．

董峻凯，任丽君．2009．河北省人口迁移的现状和动因分析．现代经济．8（1）：105-106．

都阳，王美艳．2005．中国劳动力市场转型与发育．北京：商务印书馆．

都阳，王美艳．2010．农村剩余劳动力的新估计及其含义．广州大学学报（社会科学版），

（4）：17-24.

杜鹰，唐正平，张红宇. 2002. 中国农村人口变动对土地制度改革的影响. 北京：中国财政经济出版社.

杜鹰. 1997. 走出乡村. 北京：经济科学出版社.

段娟，叶明勇. 2009. 新中国成立以来农村剩余劳动力转移的历史回顾及启示. 党史文苑，（3）：4-11.

范里安 H. 2000. 微观经济学：现代观点. 费方域译. 上海：上海人民出版社.

高国力. 1995. 区域经济发展与劳动力迁移. 南开经济研究，（2）：27-32.

高迎斌. 2000. 农村劳动力转移与小城镇建设. 农业经济，（12）：26-27.

葛元月. 2005. 农民工社保，在哪里"解扣"——河北城镇化进程中农民工社保漫谈. 河南农业，（2）：43.

龚玉泉. 2002. 中国经济增长与就业增长的非一致性及其形成机理. 经济学动态，（10）：35-39.

顾骅珊. 2004. 经济结构调整是解决失业问题的关键. 经济研究参考，（31）：37-38.

郭熙保. 2002. 从发展经济学观点看待库兹涅茨假说——兼论中国收入不平等扩大的原因. 管理世界，（3）：66-73.

国际劳工组织. 2001. 劳动力市场主要指标体系 1999（中文版）. 北京：中国劳动社会保障出版社.

国家统计局，劳动与社会保障部. 2009. 中国劳动统计年鉴. 北京：中国统计出版社.

国家统计局农村社会经济调查司课题组. 2006. 我国农村居民收入分配差距实证分析. 调研世界，（3）：3-6.

国务院人口普查办公室，国家统计局人口和社会科技统计司编. 2003. 中国 2000 年人口普查资料. 北京：中国统计出版社.

国务院研究室. 2006. 关于农民工问题调研后的几点思考. 中国农民工调研报告. 北京：中国言实出版社.

韩长赋. 2004. 我国工业化、城镇化进程中的土地问题. 求是，（22）：6-8.

韩俊，崔传义，金淋. 2009. 现阶段我国农民工流动和就业的主要特点. 发展研究，（4）：45-48.

韩俊. 1995. 我国农村劳动力转移的现状与特点. 江淮论坛，（2）：2-12.

韩俊. 2004. 关于当前农业和农村经济有关政策问题的若干建议. 农村经济（1）：2-6.

韩俊. 2004. 由城乡分割走向城乡协调发展. "2004 年中国发展高层论坛"报告.

韩俊. 2009-05-06. 农村改革面临的深层矛盾和突出问题. 中国经济时报，第 5 版.

郝靖. 2008. 法国农业职业教育. 世界农业，（6）：63-65.

何鑫，宋平岗，官二勇. 2006. 用马氏链方法预测全国年发电量趋势. 华东交通大学学报，（23）：51-54.

侯东民. 2009. 从"民工荒"到"返乡潮"：中国的刘易斯拐点到来了吗？人口研究，（3）：32-47.

侯景新，尹卫红．2004．区域经济分析方法．北京：商务印书馆．

侯力．2004．当前我国农村劳动力转移面临的问题及对策．人口学刊，(6)：30-34.

胡必亮．2004．"关系"与农村人口流动．农业经济问题，(11)：36-42.

胡枫．2006．关于中国农村劳动力转移规模的估计．山西财经大学学报，(2)：14-18.

胡景北．2008．度量农业劳动力转移：概念选择和经济学意义．经济发展论文，(5)
　　15-18.

胡景北．2008．价格波动与劳动力转移波动：以中国为背景的分析．中国社会科学期刊，
　　(4)：31-53.

胡景北．2008．价格波动与劳动力转移波动：以中国为背景的分析．中国社会科学期刊，
　　(4)：31-53.

胡俊超．2009．我国农村剩余劳动力转移特点比较研究．理论月刊，(11)：169-171.

胡永泰．1998．中国全要素生产率：来自农业部门劳动力再配置的首要作用．经济研究，
　　(3)：31-39.

黄国华．2009．农村劳动力转移影响因素分析：29个省市的经验数据．南京农业大学学报
　　(社会科学版)，9(4)：8-15.

黄宁阳．2009．我国城镇劳动力市场供给分析——兼论"民工荒"的成因及对策．乡镇经
　　济，(3)：72-74.

黄平，彭柯．2003．当今中国农村的劳动者流动．"亚洲迁移、发展和偏向穷人政策选择"
　　国际会议论文．

黄乾．2007．农村劳动力转移就业问题性质的根本转变与社会政策选择．人口研究，(7)：
　　1-7.

黄瑞芹．2002．农民工进城就业歧视政策的经济学评价．人口研究，18(4)：34-37.

黄祖辉，王敏．2003．我国居民收入不平等问题：基于转移性收入角度的分析．管理世界，
　　(3)：70-75.

蒋乃华，封进．2002．农村城市化进程中的农民意愿考察——对江苏的实证分析，管理世
　　界，(2)：24-28.

蒋谦，傅新红，陈东，等．2008．经济增长与劳动力就业密切相关——四川省经济增长与劳
　　动力就业关联性的实证分析．农村经济，(6)：110-112.

蒋中一．1999．数理经济学的基本方法．北京：商务印书馆．

科斯R，阿尔钦A，诺斯D．1990．财产权利与制度变迁．刘守英等译．上海：上海人民出版
　　社．上海三联书店．

孔祥成，刘芳．2002．20世纪90年代以来中国农村剩余劳动力流动问题研究综述．贵州财
　　经党报学报，(5)：7-11.

孔祥智．2001．中国农村小城镇建设：现状、问题与对策．农业经济问题，(3)：47-52.

库兹涅茨S．1989．现代经济增长．戴睿等译．北京：北京经济学院出版社．

库兹涅茨S．1999．各国的经济增长．常勋等译．北京：商务印书馆．

赖小琼，余玉平．2004．成本收益视线下的农村劳动力转移——托达罗模型的反思与扩展．

当代经济研究，（2）：22-26.

李建伟.1998.劳动力过剩条件下的经济增长.经济研究，（9）：62-69.

李剑阁，韩俊.2004.解决我国新阶段"三农"问题的政策思路.农业经济导刊，（8）：12-18.

李萌，朱信凯，等.2005.农民工进城的社会问题与制度创新研究报告.国务院研究司内部报告.

李培林.2003.农民工——中国进城农民工的经济社会分析.北京：社会科学文献出版社.

李实，邓曲恒.2004.中国城镇失业和非正规再就业的经验研究.中国人口科学，（4）：2-10.

李实，赵人伟，张平.1998.中国经济改革中的收入分配变动.管理世界，（1）：43-56.

李实.1997.中国经济转轨中劳动力流动模型.经济研究，（1）：23-30.

李实.1997.中国居民收入差距的扩大及其原因.经济研究，（9）：19-28.

李实.1999.中国农村劳动力流动与收入增长和分配.中国社会科学，（2）：16-33.

李仙娥，王春艳.2004.国内外关于农村剩余劳动力转移基本理论问题研究综述.经济纵横，（4）：60-63.

李亚伯.2007.中国劳动力市场发育论纲.长沙：湖南人民出版社.

李莹，张小林.2002.我国农村剩余劳动力转移问题研究综述.安徽农业科学，（9）：1692-1694.

李子奈.2000.计量经济学.北京：高等教育出版社.

林汉川，夏敏仁.2002.发展中国家剩余劳动力转移的三个模型探析.数量经济技术经济研究，（5）：125-127.

林毅夫，李周.1996.当前我国农村的主要问题和对策.中国改革，（9）：11-14.

林毅夫.1994.制度技术与中国农业发展.上海：上海人民出版社.

林毅夫.2002.中国的城市发展与农村现代化.北京大学学报（哲学社会科学版），（4）：12-15.

刘汉成，梅福林.2002.湖北省农村剩余劳动力转移的现状、成因及对策.农业现代化研究，（1）：61-64.

刘怀廉.2005.中国农民工问题.北京：人民出版社.

刘继兵.2005.农业剩余劳动力转移、农民入收与农村经济增长——基于湖北省农业剩余劳动力变动的实证分析.湖北社会科学，（10）：44-47.

刘灵芝.2004.当前我国农村剩余劳动力转移面临的问题及对策研究.现代农业，（7）：89-90.

刘灵芝.2004.关于农村剩余劳动力转移的思考.农业经济，（6）：31-32.

刘社建.2005.就业结构与产业升级协调互动探讨.社会科学，（6）：13-17.

刘晓宇，张林秀.2008.农村土地产权稳定性与劳动力转移关系分析.中国农村经济，（2）：29-39.

刘易斯 A. 1989. 二元经济论. 施炜等译. 北京：北京经济学院出版社.

陆铭. 2003. 为何改革没有提高国有企业的相对劳动生产率. 经济学，(3)：833-856.

栾谨崇. 2004. 关于"农业剩余劳动力转移难"问题的经济学思考. 农村经济，(8)：84-87.

栾敬东. 2004. "民工潮"的成因及社会经济影响深层次探析. 安徽大学学报（社会科学版），(1)：33-35.

罗明忠. 2008. 农村劳动力转移中的和谐劳动关系建设. 农村经济，(6)：3-6.

马斌，张富饶. 2008. 城乡居民收入差距影响因素实证分析. 中国农村经济，(2)：53-59.

马忠东，张为民，梁左，等. 2004. 劳动力流动：中国农村收入增长的新因素. 人口研究，(3)：2-10.

宓瑞红，王文新. 2005. 马尔可夫链在贫困县农村劳动力流动趋势预测中的应用. 数理统计与管理，25(4)：42-45.

苗瑞卿，戎建，郑淑华. 2004. 农村劳动力转移的速度与数量影响因素分析. 中国农村观察，(2)：39-45.

聂燕玲. 2007. 农村劳动力转移程度的测度与评价——基于四川省遂宁市安居区安居镇万合村的研究. 西南大学硕士毕业论文.

农业部软科学委员会课题组. 2000. 中国农业发展新阶段. 北京：中国农业出版社.

诺思 D C. 1991. 制度、制度变迁和经济绩效. 抗行译. 上海：上海三联书店.

潘文卿. 1999. 中国农业剩余劳动力转移效益测评. 统计研究，(4)：31-34.

彭荣胜. 2008. 基于能力视角的欠发达地区农村劳动力转移研究. 农村经济，(8)：115-117.

彭勋. 1992. 人口迁移与社会发展：人口迁移学. 济南：山东大学出版社.

钱小英. 1998. 我国失业率的特征及其影响因素分析. 经济学研究，(10)：28-36.

乔方亮. 2004. 农村剩余劳动力转移要有新思路. 农业经济，(11)：44-45.

全国人口抽样办公室. 1997. 1995 年全国 1% 人口抽样调查资料. 北京：中国统计出版社.

阮晓莺，魏澄荣. 2004. 农村劳动力转移的路径选择. 农业经济，(11)：42-43.

申明浩，万俊毅. 2008. 偏好、信息、不确定性与中国农村劳动力就业选择. 农村经济，(6)：113-117.

盛来运. 2007. 中国农村劳动力外出的影响因素分析. 中国农村观察，(3)：2-15.

盛来运. 2008. 流动还是迁移——中国农村劳动力流动过程的经济学分析. 上海：上海远东出版社.

舒尔茨 T W. 1990. 人力资本投资. 吴珠华译. 北京：商务印书馆.

宋洪远，黄华波，刘光明. 2002. 关于农村劳动力流动的政策问题分析. 管理世界，(5)：55-87.

宋洪远. 2002. 回乡，还是进城：中国农村外出劳动力回流研究. 北京：中国财政经济出版社.

唐茂华. 2007. 成本收益双重约束下的劳动力转移. 中国农村经济，(10)：30-39.

托达罗 M P. 1999. 经济发展第六版. 陶文达译. 北京：中国经济出版社.

汪晓银.2004. 中国蔬菜生产、消费与贸易研究——一个供需平衡的计量经济分析框架.华中农业大学硕士学位论文.

王德文,吴要武,蔡昉.2004. 迁移、失业与城市劳动力分割——为什么农村迁移者的失业率很低? 世界经济文汇,(1):37-52.

王桂新,沈键法.2001. 上海外来劳动力与本地劳动力补缺替代关系研究.人口研究,(1):9-19.

王红玲.1998. 关于农业剩余劳动力数量的估计方法与实证分析.经济研究,(4):52-55.

王济川,郭志刚.2001. Logistic 回归模型——方法与应用.北京:高等教育出版社.

王检贵,丁守海.2005. 中国究竟还有多少农业剩余劳动力.中国社会科学,(5):27-35.

王景新.2005. 明日中国——走向城乡一体化.北京:中国经济出版社.

王梦奎.1999. 中国经济转轨二十年.北京:外文出版社.

王西玉,崔传义,等.2003. 打工与回乡:就业转变和农村发展——关于部分进城民工回乡创业的研究.管理世界,(7):99-109.

王西玉,崔传义,赵阳,等.2000. 中国二元结构下的农村劳动力流动及其政策选择.管理世界,(5):61-69.

威廉·配第.1978. 政治算术.北京:商务印书馆.

魏丹,韩晓龙,祁春节.2008. 对我国农村劳动力转移趋势的长期预测.统计与决策,(6):44-46.

魏后凯.1996. 中国地区间居民收入差异及其分解.经济研究,(11):66-73.

温铁军.2000. 中国农村基本经济制度研究——“三农”问题的世纪反思.北京:中国经济出版社.

吴秀敏,林坚,刘万利.2005. 城市化进程中西部地区农户的迁移意愿分析——对成都市农户的实证研究.中国农村经济,(4):27-33.

吴玉林,李玉红.1996. 农村劳动力供需矛盾及其转移形式研究——以山东省为例.中国人口科学,(5):39-43.

吴忠民.2003. 转型经济下中国的城市失业及劳动力流动.经济学,2(4):857-874.

伍德里奇 J M.2003. 计量经济学导论:现代观点.费剑平,林相森译.北京:中国人民大学出版社.

辛小柏.2003. 当前就业形势及 2004 年调控目标和政策建议.开放潮,(10)27-28.

徐旭晖.2008. 从制度制约看农村剩余劳动力转移模式的变革.乡镇经济,(12):93-97.

徐玉龙,王志彬,郭斌.2007. 农民工就业歧视的经济学分析.财贸研究,(1):38-43.

徐育才.2005. 试论农村剩余劳动力转移中的政府行为.经济地理,25(1):56-59.

严浩坤,徐朝晖.2008. 农村劳动力流动与地区经济差距.农业经济问题,(6):52-58.

严江,周婷.2004. 关于我国农村剩余劳动力转移的思考.农村经济,(7):75-77.

杨春瑰.2003. 劳动力迁移的 Logistic 离散模型及其稳定性分析.中国农村观察,(2):45-49.

杨德才.2006. 制度变迁与我国农村剩余劳动力转移——改革以来我国农村剩余劳动力阶段

性流动的实证研究．当代经济研究，(12)：38-41.

杨云彦，陈金永，王德文．2004. 城市就业与劳动力市场转型．北京：中国统计出版社．

杨云彦，朱金生．2003. 经济全球化、就业替代与中部地区的"边缘化"．中南财经政法大学学报，(5)：90-95.

姚上海．2004. 我国农村富余劳动力转移的制度性约束探讨．中南民族大学学报（人文社会科学版），(1)：30-32.

姚先国，来君．2005. 二元社会结构中的工资决定模型与人口流动——当前"民工荒"现象分析．农业经济导刊，(12)：68-75.

姚先国，赖普清．2004. 中国劳资关系的城乡户籍差异．经济研究，(7)：82-90.

姚洋．2002. 自由、公正与制度变迁．郑州：河南人民出版社．

叶明非，方建明．2002. 我国农村剩余劳动力转移的基本对策．农业经济，(5)：29-30.

尹德挺．2009. 建国六十年流动人口演进轨迹与若干政策建议．改革，(9)：24-36.

余显财．2006. 所得税劳动供给效应的实证研究．管理世界，(11)：28-40.

袁培．2004. 农村剩余劳动力转移的理论依据与现实选择．新疆社科论坛，(5)：12-14.

袁培．2009. 关于劳动力转移行为的重新认识－基于西方主流微观人口迁移理论的分析．改革与战略．(10) 26-29.

袁志刚．1994. 失业理论与中国失业问题．经济研究，(9)：32-37.

袁志刚．2005. 破解失业难题，实行综合治理．科教文汇，(2)：7.

袁志刚．2006. 中国的城乡劳动力流动与城镇失业：一个经验研究．管理世界，(8)：28-35.

袁志刚．2007. 中国的城乡劳动力流动与城镇失业——理论与经验研究．北京：经济科学出版社．

原劳动部农村就业与流动研究课题组．1999. 中国农村劳动力就业与流动研究报告．北京：中国劳动出版社．

曾雁．2004. 增加农民收入与农村剩余劳动力转移．农村经济，(5)：51-53.

张车伟，王德文，王美艳．2003. 中国人口与劳动问题报告．北京：社会科学文献出版社．

张车伟．2003. 失业率定义的国际比较及中国城镇失业率．世界经济，(5)：47-54.

张呈琮．2005. 人口迁移流动与农村人力资源开发．人口研究，29 (1)：74-79.

张广宇，杜书云．2005. 直接成本、机会成本与农民外出动力：理论分析与模型实证．中国农村经济，(1)：33-39.

张广宇．2006. 成本视角下的中国劳动力乡城流动问题研究．成都：西南财经大学．

张红宇．2002. 中国农地调整与使用权流转：几点评论．管理世界，(5)：76-87.

张红宇．2003. 就业结构调整与中国农村劳动力的充分就业．农业经济问题，(7)：10-15.

张培刚．1984. 农业国工业化初探．武汉：华中工学院出版社．

张世伟，赵亮．2009. 农村劳动力流动的影响因素分析——基于生存分析的视角．中国人口·资源与环境，(19)：101-106.

张思军, 吴仁明. 2002. 农业劳动力流动对农业发展的影响. 云南社会科学, (1): 36-39.

张务伟, 张福明. 2008. 农村剩余劳动力就地转移和异地就业影响因素实证分析. 农村经济, (6): 103-106.

张新岭, 俞宪忠. 2008. 农民工就业相关问题研究综述. 价格月刊, (4): 60-63.

张兴华. 2004. 从国外经验看中国劳动力转移的战略选择. 经济研究参考, (81): 44-51.

张兴华. 2005. 农民工对城镇劳动力的替代性研究. 中国农村经济, (4): 11-16.

张雅光, 田玉敏. 2008. 欧洲的农民培训证书制度及启示. 世界农业, (2): 61-63.

张永丽, 黄祖辉. 2008. 中国农村劳动力流动研究述评. 中国农村观察, (1): 69-79.

张勇. 2009. 农业劳动力转移与经济增长的实证研究. 经济评论, (1): 42-47.

张照新, 宋洪远. 2002. 中国农村劳动力流动国际研讨会主要观点综述. 中国农村观察, (1): 75-79.

张志萍. 2007. 关于农村劳动力转移教育培训的相关政策建议. 河南农业, (4): 17-18.

张志忠. 2003. 当代西方市场社会主义者的公有制实现形式理论评述. 内蒙古社会科学, (5): 112-116.

张忠法, 崔传义, 陈剑光, 等. 2001. 我国农村劳动力转移的历程、特点及面临的新形势. 经济研究参考, (3): 13-22.

赵人伟, 李实, Carl R. 1999. 中国居民收入分配再研究. 北京: 中国财政经济出版社.

赵树凯. 1995. 农村劳动力迁移: 成本与风险的初步考察. 农业经济问题, (3): 33-36.

赵阳. 2004. 对农地再分配制度的重新认识. 中国农村观察, (4): 22-30.

赵耀辉. 1997. 中国农村劳动力流失及教育在其中的作用——以四川为基础的研究. 经济研究, (2): 37-42.

郑列. 2007. Markov 链在预测农村劳动力流动趋势中的应用. 湖北工业大学学报, (01): 45-47.

中国劳动与社会保障部课题组. 2005-07-28. 当前农民工流动就业数量、结构与特点. 中国劳动保障报, 第 2 版.

中华人民共和国统计局. 2009. 中国统计年鉴. 北京: 中国统计出版社.

钟甫宁, 徐志刚, 栾敬东. 2001. 经济发达农村地区外来劳动力的性别差异研究. 人口与经济, (2): 31-37.

周国伟. 2004. 迁移理论的简单介绍. 香港: 香港科技大学.

周海春. 1999. 劳动力无限供给条件下的中国经济潜在增长率. 管理世界, (3): 24-28.

周可, 冉春娥. 2008. 农村人力资本迁移研究——基于政府角度的一个分析框架. 农村经济, (9): 117-119.

周其仁. 1997. 机会与能力——中国农村劳动力的就业和流动. 管理世界, (5): 81-100.

周天勇. 2001. 托达罗模型的缺陷及其相反的政策含义——中国剩余劳动力转移与就业容量扩张的思路. 经济研究, (3): 75-82.

周霞. 2005. 回乡, 还是留城?——对影响农民工理性选择的因素分析. 农业经济导刊, (12): 68-71.

周小刚，家围墙，章帆.2008.农民工进城后的反贫困经济学思考.农村经济，（5）：122-125.

朱立志，方静.2005.德国农民的权益保障体系.中国农村经济，（3）：75-80.

朱农.2005.中国劳动力流动与"三农"问题.武汉：武汉大学出版社.

朱巧玲.2003.我国农村剩余劳动力转移的思路与对策.农业经济问题，（1）：46-50.

祝七荟.2008.现阶段中国农民教育培训成就及存在的问题.世界农业，（2）：60-63.

Becker G S. 1957. The Economics of Discrimination. Chicago：University of Chicago Press.

Benjamin D，Brant L，Li G. 2000. Markets，Human Capital，and Inequality：Evidence from Rural China. Unpublished Paper，university of Toronto.

Bogue D J. 1956. Labor Migration in Central Asia：Implications of the Global Economic Crisis. Central Asia-Caucasus Institute & Silk Road Studies Program -A Joint Transatlantic Research and Policy Center：5-48

Brauw Alan de，Taylor J E，Rozelle S. 2003. Migration and Incomes in Source Communities：A New Economics of Migration Perspective form China. University of California，Davis.

Chen A Z，Huffman W E，Rozelle S. 2003-11-11. Migration and Local off-farm Working in Rural China. Working paper.

Cohen B. 2006. Urbanization in developing countries：current trends，future projections，and key challenging for sustainability. Technology in Society，28（1-2）：63-80.

Cook. 1999. Surplus labor and productivity in Chinese agriculture：Evidence from household survey data. Journal of Development Studies，35（3）：16-44.

Davanzo J. 1978. Does unemployment affect migration? —Evidence from micro data. The Review of Economics and Statistics，60（4）：504-514.

Deshingkar P，Farrington J. 2006. Rural Labour Markets and Migration in South Asia：Evidence from India and Bangladesh，Background Paper for the World Development Report.

Fiedls G. 1974. Rurd-Urban Migration，Urban Unemployment and Underemployment，and Job-search Activity in LDCS，Journal of Development Economics，2：165-187.

Gasson R，Grow G. 1998. Farms as the Family Enterprises：Reviews. Journal of Agriculture Economics，（1）：1-41.

Greene W H. 1990. A Gamma-distributed stochastic frontier model. Journal of Econometrics，46（1-2）：141-163.

Griffin K B，Boyce J K. 1998. Human development in the era of globalization：essays in honor of Keith B. Griffin. UK：Published by Edward Elgar Publishing Limited.

Griffin K. 1998. Indonesia：Economic Crisis，Adjustment，Employment and Poverty Development Policies Department. International Labour Office Geneva 1-19

Hare D. 1999. Push versue Pull Factors in Migration Outflows and Returns：Determinants of Migration Status and Spell Duration among China's Rural Population，Journal of Development Studies，35（3）：45-72.

Harris J K, Todaro M P. 1970. Migration, unemployment and development: A two-sector analysis. The American Economic Review, 60 (1): 126-142.

http: //edoc. bibliothek. uni-halle. de/servlets/MCRFileNodeServlet/HALCoRe _ derivate _ 00003964/2009_ marat_ labor-migration-in-central-asia. pdf

Ishikawask. 1978. Labor Absorption in Asian Agriculture. Bangkok, International Labor Organization, Asian Regional Programfor Employment Promotion.

Johnson D G. 1999. Agricultural Adjustment in China: Problems and Prospects. Working Paper, Department of Economics, University of Chicago.

Johnson D G. 2003. Provincial Migration in China in the 1990s, China Economic Review, 14 (1): 22-31.

Jordan B. 2009. Editorial for the ICFTU Trade Union World (1/9/98). Labor Migration in Central Asia: Implications of the Global Economic Crisis. Central Asia-Caucasus Institute Silk Road Studies Program Silk road paper.

Jorgenson D W. 1967. Surplus Agricultural Labour and the Development of a Dual Economy. Oxford Economic Papers, (3): 288-312.

Kart G S. 1997. The Realities of Aging: An Introduction to Gerontology. 5th ed. Allyn and Bacon: Needham heights.

Koo W W, Duncan M. 1997. Can Developing Countries Afford the New Food System——A Case Study of the Chinese Agricultural Sector. American Journalof Agricultural Economics, 79 (2).

Lee E S. 1966. A theory of migration. Demography, 3 (1): 47-75.

Marat E. 2009. Labor Migration in Central Asia: Implications of the Global Economic Crisis. Central Asia-Caucasus Institute & Silk Road Studies Program -A Joint Transatlantic Research and Policy Center: 5-48

Marat E. 2009. Shrinking Remittances Increase Labor Migration from Central Asian. http: //www. cacianalyst. org/? q = node/5035.

Maurer-Fazio M, 1999. Earnings and education in China's transition to a market economy Survey evidence from 1989 and 1992. China Economic Review, (10) 17-40.

Meng. 2000. Labour market reform in China. UK: the press Syndicate of the University of Cambridge: 1-194.

Petersen W. 1975. Population. US: Macmillan Publishing Company.

Piore M. 1979. The Theory of "Dual" or Segmented Labor Markets. Journal of Economic Issues (13): 687-706.

Ranis G, Fei J C. 1961. A Theory of Economic Development. The American Economic Review 51 (September): 533-565.

Roberts K D. 2001. The Determinants of Job Choice by Rural Labor Migrants in Shanghai. China Economic Review, 12: 15-39.

Salehi-Isfahani D. 1993. Population pressure, intensification of agriculture and rural-urban migration. Journal of Development Economics, (40): 371-384.

Schmitt G. 1991. Why Is the Agriculture of Advanced Western Economies Still Organized by Family Farms? Will this Goes on ? European Revies of Agricultural Economics, (18): 443-458.

Schoenberger L, Vernooy k, Mallee H. 2000. Exploratory Workshop: Food Security in East and Southeast Asia. Nanyang Technological University, Singapore. 3-4 June: 1-36.

Schwartz A. 1973. Interpreting the Effect of Distance on Migration. Journal of Political Economy, 81 (Sep. -Oco.): 1153-1169.

Shrestha N R. 1988. A Structural Perspective On Labour migration in underdeveloped countries. Progress in Human Geography, 12 (2): 179-207.

Sit V F S, Yang C. 1997. Foreign-investment-induced Exo-urbanization in the Pearl River Delta. China: Urban Studies, 34 (4): 674-677.

Stalker P. 2000. The No-Nonsense Guide to International Migration. UK: Published by New Internationalist Publications.

Standing G. 1981. Migration and modes of exploitation: Social origins of immobility and mobility. Journal of Peasant Studies, 8 (2): 173-211.

Stark O, Bloom D E. 1985. The new economics of labor migration. The American Economic Association, (May): 173-178.

Stark O, Taylor J E. 1991. Migration incentives, migration types: The role of relative deprivation. The economic journal, 101 (408): 1163-1178.

Stark O, TaylorJ E. 1991. Relative Deprivation and Migration: Theory, Evidence, and Policy Implications. US: Working Paper for the Work Bank.

Stark O. 1982. Research on Rural-to-Urban Migration in Less Developed Countries: The Confusion Frontier and Why We Should Pause to Rethink Afresh. World Development, (10): 73-70.

Stark O. 1991. Rural-to-Urban Migration in LDCs: A Relative Deprivation Approach. Economic Development, and Cultural Change, 32 (3): 475-486.

Stark O. The Migration of Labor, Cambridge: Basil Blackwess.

Todaro M P. 1969. A Model of Labor Migration and Urban Unemployment in Less Developed Countries. the American Economic Review 59: 138-148.

Todaro, M P. 1970. Migration, Unemployment and Development: A Two-Sectors Analysis, The American Economic Review 70 (March): 126-142.

Tuan F, Somwaru A. 2000. Rual Labor Migration, Characterstics And Employment Patters: A Study Based On China's Agricultural Census. Trade and Macroeconomics Division, International Food Policy Research Institute, N. W. Washington.

Vogel S J. 1994. Structural Changes in Agriculture: Production Linkages and Agricultural Demand-LedIndustrialization. Oxford Economic Papers, New Series, 46 (1): 136-156.

Wickramasekera P. 2000. Asian Labor Migration: Issues and Challenges in an Era of Globalization. international migration programme.

参考文献

119

Willam H G. 1990. A Gamma-distributed stochastic frontier model. Journal of Econometrics, 46 (1-2): 141-163.

Yoram B. 1985. Transaction Costs: Are They Just Costs? Journal of Institutional and Theoretical Economics, 141: 4-16.

附　　录

一　我国农村劳动力转移政策变化及其赋值

时　间	政　策	作　用	赋　值
2010 年	中共中央、国务院《关于加大统筹城乡发展力度进一步夯实农业农村发展基础的若干意见》	积极开展农民务工技能培训，将农民工返乡创业和农民就地就近创业纳入政策扶持范围。加大农民外出务工就业指导和服务力度，切实维护农民工合法权益，促进农村劳动力平稳有序转移	10
2009 年	中共中央、国务院《关于2009年促进农业稳定发展农民持续增收的若干意见》	积极扩大农村劳动力就业，最大限度安置好农民工。落实农民工返乡创业扶持政策，对生活无着的返乡农民工要提供临时救助或纳入农村低保	10
2008 年	中共中央、国务院《关于切实加强农业基础建设，进一步促进农业发展农民增收的若干意见》	改善农民工进城就业和返乡创业环境。建立统一规范的人力资源市场，形成城乡劳动者平等就业的制度。加快大中城市户籍制度改革，建立农民工工资正常增长和支付保障机制，健全农民工社会保障制度	10
2007 年	中共中央、国务院《关于积极发展现代农业扎实推进社会主义新农村建设的若干意见》	加强农民转移就业培训和权益保护，从农民工中培育一批中高级技工。完善农民外出就业的制度保障，做好农民工就业的公共服务工作，提高农民工的生活质量和社会地位	10
2006 年	中共中央、国务院《关于推进社会主义新农村建设的若干意见》	要加快转移农村劳动力，不断增加农民的务工收入。大规模开展农村劳动力技能培训，提高农民整体素质，增强农民转产转岗就业的能力	10
2005 年	中共中央、国务院《关于进一步加强农村工作提高农业综合生产能力若干政策的意见》	扩大"农村劳动力转移培训阳光工程"实施规模，加快农村劳动力转移。解决好农民工子女入学问题，健全农民工社会保障制度，开展工伤保险全覆盖行动	10

时　间	政　策	作　用	赋　值
2004 年	中共中央国务院《关于促进农民增加收入若干政策意见》	强调了农村劳动力在增加农民收入过程中的作用	10
2003 年	中共中央国务院《关于做好农民进城务工就业管理和服务工作的通知》	取消对农民进城务工就业的不合理限制，改善农民工的生产生活条件，做好农民工培训工作，多渠道安排农民工子女就学等	10
2002 年	国务院《关于进一步加强农村教育工作的决定》	积极实施农村劳动力转移培训，每年培训2000 万人次以上，使他们初步掌握在城镇和非农产业就业必需的技能，获得相应的职业资格或培训证书	10
2001 年 11 月	国务院《关于推进小城镇户籍管理制度改革的意见》	允许有"合法固定住所、稳定职业或生活来源的人员及其与其共同生活的直系亲属，均可根据本人意愿办理城镇常住户口"保障在小城镇落户人员与当地原有城镇居民享有同等权利，履行同等义务	10
2000 年 11 月	劳动部颁布《关于做好农村富余劳动力流动就业工作的意见》劳动部等部位联合颁布《关于进一步开展农村劳动力开发就业试点工作的通知》	促进劳务输出产业化，保障流动就业合法化。改革城乡分割体制，取消对农民进城就业的不合理限制	10
1999 年 11 月	无		0
1998 年 6 月	中共中央、国务院《关于切实做好国有企业下岗职工基本生活保障和再就业工作的通知》	鼓励和引导农村剩余劳动力就地就近转移，合理调控进城务工的规模	10
1997 年 11 月	中共中央、国务院《关于进一步做好组织农民工有序流动工作的意见》	提出加快劳动力市场建设，建立健全劳动力市场规则，明确各方的行为规范	10
1996 年	无		0
1995 年	中共中央、国务院《关于加强流动人口管理工作的意见》	促进农村剩余劳动力就地就近转移；提高流动的组织化程度，对流动人口统一管理等	10
1994 年 11 月	劳动部《关于农村劳动力跨省流动就业的暂行规定》	首次规范就业证卡管理制度。为跨省流动就业的农民工办理流动就业证	10
1993 年 11 月	中共中央、国务院《关于建立社会主义市场经济体制若干问题的决定》	鼓励和引导农村剩余劳动力逐步向非农产业和地区有序流动	10

时　间	政　策	作　用	赋　值
1992 年	无		0
1991 年 2 月	中共中央、国务院《关于劝阻民工盲目去广东的通知》	要求各地政府从严或暂停办理民工外出务工手续	−10
1990 年 4 月	中共中央、国务院《关于做好劳动就业工作的通知》	引导富余劳动力"离土不离乡",对进城农民工实行有效控制,严格管理	−10
1989 年 3 月	中共中央、国务院《关于严格控制民工外出的紧急通知》	要求各地人民政府采取有效措施,严格控制当地民工外出	−10
1988 年 7 月	中共中央、国务院《关于加强贫困地区劳动力资源开发工作的通知》	组织劳动力跨地区劳动,多种形式开拓劳动力市场,为搞活劳动力流动创造条件	10
1987 年	无		0
1986 年 7 月	中共中央、国务院《关于国营企业招用工人的暂行规定》	企业招用工人,符合报考条件的城镇行业人员和国家允许从农村招用的人员,均可报名	10
1985 年 1 月	中共中央、国务院《关于进一步活跃农村经济的十项政策》	允许农民进城开店设坊,兴办服务业,提供各种劳务,城市要在用地和服务设施方面提供便利条件	10
1984 年 1 月	中共中央、国务院《关于 1984 年农村工作的通知》	允许务工、经商、办服务的农民自理口粮到集镇落户	10
1983 年	无		0
1982 年	无		0
1981 年	中共中央、国务院《关于广开门路,搞活经济,解决城镇就业问题的若干决定》和《关于严格控制农村劳动力进城务工和农业人口转为非农业人口的通知》	对农村多余劳动力通过发展多种经营和兴办社队企业和城乡联办企业,就地适当安置,不使其涌入城镇;严格控制使用农村劳动力,继续清退来自农村的计划外用工。严格控制从农村招工	−10
1980 年	中共中央、国务院《关于进一步做好城镇劳动力就业工作的意见》	控制农业人口盲目流入大中城市,要压缩、清退来自农村的计划外用工	−10

资料来源:根据《中国农民工问题》(刘怀廉著,人民出版社)和相关文件归纳整理

二　我国新时期农村劳动力转移研究问卷调查（Ⅰ）

问卷编号_____

尊敬的村民朋友：您好！

　　我们是华中农业大学暑期社会实践的同学，我们要做一项"我国新时期农村劳动力转移研究"的课题，恳请您能配合我们的调查，认真完成我们的问卷。我们承诺调查仅用于课题研究，非常感谢您的帮助。

　　您的年龄_____您的性别

　　您所在的地区_____省_____市（县）_____乡（镇）_____村

1. 您的家庭每年要种多少亩农田

　　A. 1 亩以下　　　　　　B. 1~2 亩　　　　　　C. 2 亩以上

2. 您一年大概有多少收入

　　A. 1 万元以下　　　　　B. 1 万~2 万元　　　　C. 2 万元以上

3. 您的总收入中非农业收入（农业以外的其他工作收入）所占比例约为

　　A. 占 1/3 以下　　　　　B. 占 1/3~2/3　　　　　C. 占 2/3 以上

4. 您的文化程度为：

　　A. 小学及以下　　　　　B. 初中　　　　　　　　C. 高中及以上

5. 在您的家庭中，常年在外地打工或工作的人有

　　A. 1 个　　　　　　　　B. 2 个　　　　　　　　C. 3 个以上

6. 在您的家庭中，常年在外地打工或工作的亲人文化程度为

　　A. 小学及以下　　　　　B. 初中　　　　　　　　C. 高中及以上

7. 在您的家庭中，常年在外地打工或工作的亲人主要在哪里从事工作

　　A. 个体　　　　　　　　B. 私营企业　　　　　　C. 国有企业

　　D. 国家机关　　　　　　E. 其他

8. 在您的家庭中，常年在外地打工或工作的亲人一年大概有多少收入

　　A. 1 万元以下　　　　　B. 1 万~2 万元　　　　C. 2 万元以上

9. 在您的家庭中，常年在外地打工或工作的亲人在城市打工的年限

　　A. 5 年以下　　　　　　B. 5~10 年　　　　　　C. 10 年以上

10. 在您的家庭中，常年在外地打工或工作的亲人的年龄

　　　A. 20 岁以下　　　　　B. 20~40 岁　　　　　　C. 40 岁以上

11. 在您的家庭中，常年在外地打工或工作的亲人所在的地区

　　　A. 本省　　　　　　　　B. 跨省

三 我国新时期农村劳动力转移研究问卷调查（Ⅱ）

问卷编号_____

尊敬的各位朋友：您好！

此次调查是为华中农业大学经管学院课题"新时期我国农村劳动力转移研究"收集有关数据，我们保证对收集到的数据严格保密。为了确保数据的真实性和全面性，在此，恳请您给予最大的配合和支持，在此表示万分感谢！

姓名：_____年龄：_____户籍所在_____省_____县_____乡_____村电话：_____性别：_____

1. 2007 年您在外打工时间超过半年_____（是或否）（在家乡附近打短工都要计算在内）

2007 年您如果打过工，您打工的主要地方是哪里？_____（填打工地点名字，如合肥、广东东莞、家乡附近等），从事的工作主要是_____。

2. 2008 年您在外打工时间超过半年_____（是或否）（在家乡附近打短工都要计算在内）

2008 年您如果打过工，您打工的主要地方是哪里？_____（填打工地点名字，如合肥、广东东莞、家乡附近等），从事的工作主要是_____。

3. 今年过年后，您准备去城市打工还是留在农村？

  A. 城市打工   B. 农村

4. 您的身体健康状况是：

  A. 身体很好，精力充沛 B. 身体还行，没病

  C. 身体欠佳   D. 身体很不好

5. 您的文化程度为：

  A. 小学及以下   B. 初中   C. 高中及以上

6. 如果您在外地打工，请问在从事的职业中，您是否具备：

  A. 熟练技术   B. 有一般技术 C. 没有技术

7. 对影响您外出打工的其他因素评价（请在相应的位置打"√"）

请对以下方面做出评价	很强的影响	较强的影响	一般影响	小的影响	没有影响
在城市打工比在农村劳动收入高					
政府组织职业技术培训					

请对以下方面做出评价	很强的影响	较强的影响	一般影响	小的影响	没有影响
取消农业税					
外出打工单位是否有劳动保障					
用工单位是否缴纳养老保险					
在城市的教育资源享受情况					
用工单位是否缴纳医疗保险					
在城市生活成本					
受户籍制影响，没有城市身份					
在城市不好找工作					
当地政府是否组织民工外出					
打工所在地与您家乡的距离					

四　2005 年 31 省份省外迁移聚类的树状图

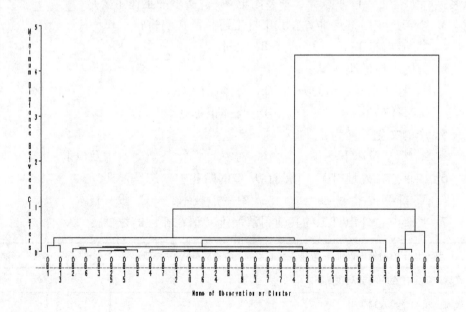

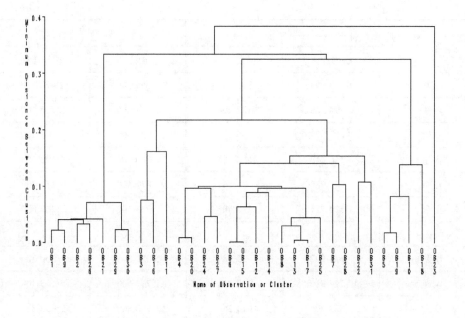

五 2000 年和 2005 年中国 31 省份
乡村人口省内迁移与省外迁移（单位：人）

地　区	2000 年		2005 年	
	省内迁移	省外迁移	省内迁移	省外迁移
全国	20 141 157	10 808 415	262 897	246 163
北京	175 720	337 551	72 000	1 338 600
天津	75 375	85 155	45 800	579 300
河北	1 010 294	364 947	1 382 000	368 600
山西	977 392	333 720	807 200	233 500
内蒙古	846 301	169 425	1 591 700	421 700
辽宁	961 968	254 916	934 600	516 100
吉林	600 326	84 371	624 600	135 100
黑龙江	788 628	104 146	1 039 000	163 600
上海	69 653	317 278	86 400	2 908 800

地 区	2000 年		2005 年	
	省内迁移	省外迁移	省内迁移	省外迁移
江苏	1 347 923	850 457	1 655 700	2 410 200
浙江	794 360	1 132 298	1 229 600	2 955 900
安徽	623 979	76 740	976 500	141 400
福建	686 443	682 180	1 060 800	1 196 000
江西	946 987	93 641	877 100	111 700
山东	1 120 771	297 483	935 600	343 800
河南	960 569	147 224	1 333 300	143 100
湖北	638 202	95 089	1 057 800	200 700
湖南	794 316	90 010	1 744 600	175 300
广东	1 328 308	3 614 260	1 602 800	7 925 800
广西	623 312	91 190	813 000	141 400
海南	115 140	94 124	113 400	83 600
重庆	354 219	86 518	389 700	115 700
四川	1 401 591	159 083	1 991 700	182 600
贵州	396 488	73 280	715 100	147 800
云南	789 485	207 522	1 089 300	382 400
西藏	29 159	23 902	24 700	16 600
陕西	574 438	92 496	744 700	184 100
甘肃	325 318	34 973	558 200	103 700
青海	115 587	18 198	159 600	60 200
宁夏	186 731	81 755	174 500	74 300
新疆	482 174	714 483	458 800	854 400

注：2005 年为 1% 人口抽样数据，本书将人口抽样数据扩大了 100 倍

中国新时期农村劳动力转移研究

六 2005 年中国 31 省份省内迁移
与跨省迁移人数及 8 个解释变量的原始数据

地　区	迁移人数	2005 年省 8 指标								
		y	X_1	X_2	X_3	X_4	X_5	X_6	X_7	X_8
北京	44 903.00	1.00	6 788.32	60.77	17 652.95	2.11	63.62	83.62	1 536.00	3.92
	30 382.00	0.00	6 788.32	60.77	17 652.95	2.11	63.62	83.62	1 536.00	3.92
天津	15 603.00	1.00	3 585.24	26.12	12 638.55	3.70	121	75.11	1 042.53	4.80
	12 472.00	0.00	3 585.24	26.12	12 638.55	3.70	121	75.11	1 042.53	4.80
河北	11 498.00	1.00	8 593.04	15.14	9 107.09	3.93	15.68	37.69	6 844.00	7.18
	51 987.00	0.00	8 593.04	15.14	9 107.09	3.93	15.68	37.69	6 844.00	7.18
山西	5 434.00	1.00	3 917.10	37.38	8 913.91	3.01	17.82	42.11	3 351.85	5.57
	31 997.00	0.00	3 917.10	37.38	8 913.91	3.01	17.82	42.11	3 351.85	5.57
内蒙古	9 289.00	1.00	3 305.99	43.64	9 136.79	4.26	11.15	47.20	2 386.10	11.25
	48 672.00	0.00	3 305.99	43.64	9 136.79	4.26	11.15	47.20	2 386.10	11.25
辽宁	14 633.00	1.00	7 126.60	16.53	9 107.55	5.62	48.11	58.70	4 220.00	4.77
	70 706.00	0.00	7 126.60	16.53	9 107.55	5.62	48.11	58.70	4 220.00	4.77
吉林	3 983.00	1.00	2 994.66	22.38	8 690.62	4.20	16.66	52.52	2 715.00	5.85
	30 483.00	0.00	2 994.66	22.38	8 690.62	4.20	16.66	52.52	2 715.00	5.85
黑龙江	5 216.00	1.00	4 826.90	3.93	8 272.51	4.42	15.56	53.10	3 818.00	6.18
	42 846.00	0.00	4 826.90	3.93	8 272.51	4.42	15.56	53.10	3 818.00	6.18
上海	61 299.00	1.00	9 073.84	22.87	18 645.03	4.42	162.4	89.09	1 778.00	5.24
	32 247.00	0.00	9 073.84	22.87	18 645.03	4.42	162.4	89.09	1 778.00	5.24
江苏	55 972.00	1.00	16 844.17	18.84	12 318.57	3.56	106.7	50.11	7 468.00	10.02
	88 270.00	0.00	16 844.17	18.84	12 318.57	3.56	106.7	50.11	7 468.00	10.02
浙江	81 987.00	1.00	12 545.02	19.52	16 293.77	3.72	75.47	56.02	4 894.00	11.95
	60 680.00	0.00	12 545.02	19.52	16 293.77	3.72	75.47	56.02	4 894.00	11.95
安徽	4 552.00	1.00	4 408.63	11.69	8 470.68	4.40	14.12	35.50	6 114.00	19.24
	48 670.00	0.00	4 408.63	11.69	8 470.68	4.40	14.12	35.50	6 114.00	19.24
福建	37 454.00	1.00	5 727.73	8.52	12 321.31	3.95	70.83	47.30	3 532.00	12.92
	61 302.00	0.00	5 727.73	8.52	12 321.31	3.95	70.83	47.30	3 532.00	12.92
江西	3 305.00	1.00	3 329.39	16.04	8 619.66	3.48	10.01	37.00	4 306.64	10.54
	35 721.00	0.00	3 329.39	16.04	8 619.66	3.48	10.01	37.00	4 306.64	10.54

地 区	迁移人数	2005 年省 8 指标								
		y	X_1	X_2	X_3	X_4	X_5	X_6	X_7	X_8
山东	16 768.00	1.00	16 553.36	19.54	10 744.79	3.33	39.42	45.00	9 239.00	12.38
	84 819.00	0.00	16 553.36	19.54	10 744.79	3.33	39.42	45.00	9 239.00	12.38
河南	3 667.00	1.00	8 695.41	20.11	8 667.97	3.45	7.014	30.65	9 371.00	9.79
	42 611.00	0.00	8 695.41	20.11	8 667.97	3.45	7.014	30.65	9 371.00	9.79
湖北	6 009.00	1.00	5 438.01	3.33	8 785.94	4.33	12.55	43.20	5 707.00	12.09
	55 305.00	0.00	5 438.01	3.33	8 785.94	4.33	12.55	43.20	5 707.00	12.09
湖南	4 212.00	1.00	5 237.19	16.02	9 523.97	4.27	8.756	37.00	6 320.00	8.58
	54 045.00	0.00	5 237.19	16.02	9 523.97	4.27	8.756	37.00	6 320.00	8.58
广东	215 995.00	1.00	20 938.27	39.45	14 769.94	2.58	160.9	60.68	9 185.00	6.00
	135 473.00	0.00	20 938.27	39.45	14 769.94	2.58	160.9	60.68	9 185.00	6.00
广西	4 847.00	1.00	3 163.25	22.76	9 286.70	4.15	11.58	33.62	4 655.00	8.64
	34 216.00	0.00	3 163.25	22.76	9 286.70	4.15	11.58	33.62	4 655.00	8.64
海南	3 864.00	1.00	593.82	16.27	8 123.94	3.55	19.41	45.20	826.31	9.76
	9 080.00	0.00	593.82	16.27	8 123.94	3.55	19.41	45.20	826.31	9.76
四川	6 604.00	1.00	5 903.97	12.65	8 385.96	4.61	11.29	33.00	8 208.00	16.61
	68 982.00	0.00	5 903.97	12.65	8 385.96	4.61	11.29	33.00	8 208.00	16.61
贵州	5 034.00	1.00	1 610.12	24.32	8 151.13	4.20	8.513	26.87	3 725.00	21.41
	26 850.00	0.00	1 610.12	24.32	8 151.13	4.20	8.513	26.87	3 725.00	21.41
云南	10 654.00	1.00	2 803.08	17.35	9 265.90	4.17	8.442	29.50	4 442.44	20.07
	34 257.00	0.00	2 803.08	17.35	9 265.90	4.17	8.442	29.50	4 442.44	20.07
西藏	562.00	1.00	203.17	18.75	9 431.18	4.17	11.78	26.65	276.00	44.84
	902.00	0.00	203.17	18.75	9 431.18	4.17	11.78	26.65	276.00	44.84
陕西	4 966.00	1.00	3 239.89	27.47	8 272.02	4.18	4.291	37.23	3 718.00	10.33
	26 187.00	0.00	3 239.89	27.47	8 272.02	4.18	4.291	37.23	3 718.00	10.33
甘肃	2 135.00	1.00	1 625.92	24.06	8 086.82	3.26	13.7	30.02	2 591.72	20.83
	14 144.00	0.00	1 625.92	24.06	8 086.82	3.26	13.7	30.02	2 591.72	20.83
青海	1 629.00	1.00	477.98	16.66	8 057.85	3.93	12.65	39.25	542.50	24.07
	5 020.00	0.00	477.98	16.66	8 057.85	3.93	12.65	39.25	542.50	24.07
宁夏	1 531.00	1.00	534.02	31.66	8 093.64	4.52	7.391	42.28	595.00	18.71
	5 913.00	0.00	534.02	31.66	8 093.64	4.52	7.391	42.28	595.00	18.71
新疆	13 572.00	1.00	2 094.20	18.36	7 990.15	3.92	15.96	37.15	2 008.15	8.32
	15 052.00	0.00	2 094.20	18.36	7 990.15	3.92	15.96	37.15	2 008.15	8.32

注：$y=1$ 代表跨省迁移，$y=0$ 代表省内迁移

资料来源：根据《中国统计年鉴》(2008) 的数据计算

七 中国1979~2007年三次产业的就业弹性

年 份	第一产业就业增长率/%	第一产业增长率/%	第一产业就业弹性	第二产业就业增长率/%	第二产业增长率/%	第二产业就业弹性	第三产业就业增长率/%	第三产业增长率/%	第三产业就业弹性
1979	1.115 898	23.6	0.047 284	3.873 29	9.643 594	0.401 644	5.869 121	0.734 06	7.995 424
1980	1.704 268	8.0	0.213 034	6.833 934	14.554 48	0.469 542	6.857 253	11.735 67	0.584 309
1981	2.249 159	13.7	0.164 172	3.840 664	2.896 898	1.325 785	7.465 654	9.629 735	0.775 271
1982	3.633 677	14.0	0.259 548	4.285 893	5.652 849	0.758 183	2.439 024	8.020 868	0.304 085
1983	0.946 239	11.3	0.083 738	3.989 935	11.044 9	0.361 247	8.472 906	15.057 73	0.562 695
1984	-0.908 48	17.1	-0.053 13	10.496 6	17.364 52	0.604 485	17.151 07	33.496 01	0.512 033
1985	0.848 775	10.7	0.079 325	8.279 458	24.500 11	0.337 936	8.011 371	44.717 82	0.179 154
1986	0.398 33	8.7	0.045 785	8.012 327	16.192 52	0.494 817	5.407 345	15.812 09	0.341 975
1987	1.308 632	15.9	0.082 304	4.547 076	16.891 85	0.269 188	6.628 079	19.379 65	0.342 012
1988	1.850 741	19.6	0.094 426	3.632 952	25.432 25	0.142 848	5.726 45	28.435 76	0.201 382
1989	3.026 45	10.4	0.291 005	-1.448 32	10.487 01	-0.138 11	1.973 221	18.694 69	0.105 55
1990	17.122 65	18.7	0.915 65	15.698 06	6.037 373	2.600 147	18.264 39	8.076 254	2.261 493
1991	0.472 838	5.5	0.085 971	1.147 517	17.943 87	0.063 95	3.330 829	24.602 13	0.135 388
1992	-1.020 51	9.8	-0.104 13	2.425 972	28.534 86	0.085 018	5.816 772	27.535 09	0.211 249
1993	-2.633 14	18.7	-0.140 81	4.249 39	40.642 18	0.1045 56	8.131 012	27.340 51	0.297 398
1994	-2.791 93	37.5	-0.074 45	2.318 744	36.409 45	0.063 685	9.546	35.784 9	0.266 761
1995	-2.997 71	26.8	-0.111 85	2.240 073	27.774 33	0.080 653	8.797 937	23.478 08	0.374 73
1996	-1.998 31	15.5	-0.128 92	3.500 479	17.976 29	0.194 728	6.202 607	16.756 96	0.370 151
1997	0.057 438	3.0	0.019 146	2.123 064	10.959 21	0.193 724	2.816 98	15.698 65	0.179 441
1998	0.967 279	2.6	0.372 03	0.320 3	3.892 034	0.082 296	2.322 049	13.310 73	0.174 449
1999	1.680 075	-0.3	-5.600 25	-1.078 31	5.203 013	-0.207 25	1.829 268	10.768 24	0.169 876
2000	0.768 844	1.2	0.640 703	-1.230 13	11.020 96	-0.111 62	3.217 912	14.289 98	0.225 187
2001	1.303 998	5.6	0.232 857	0.400 765	8.684 748	0.046 146	2.043 081	14.588 17	0.140 051
2002	0.977 734	4.8	0.203 695	-3.095 06	8.855 33	-0.349 51	4.261 42	12.482 17	0.341 401
2003	-0.878 76	5.1	-0.172 31	1.882 129	15.844 26	0.118 789	3.409 199	12.236 39	0.278 612
2004	-3.494 23	23.2	-0.150 61	5.243 516	18.367 52	0.285 478	5.511 486	15.278 29	0.360 74
2005	-3.683 12	4.7	-0.783 64	6.879 433	18.213 1	0.377 719	3.302 768	13.741 32	0.240 353
2006	-4.147 78	7.2	-0.576 08	6.309 445	18.082 18	0.348 932	3.546 338	15.372 59	0.230 692
2007	-3.430 48	16.9	-0.202 99	7.302 991	17.660 86	0.413 513	1.231 007	18.097 08	0.068 022

资料来源:《中国统计年鉴》(2008年)

八 1978～2007 年中国三次产业
就业增长率及产业增长率

年 份	第一产业就业增长率/%	第一产业增长率/%	第二产业就业增长率/%	第二产业增长率/%	第三产业就业增长率/%	第三产业增长率/%
1978	—	—	—	—	—	—
1979	1. 115 898	23. 6	3. 873 29	9. 643 594	5. 869 121	0. 734 06
1980	1. 704 268	8. 0	6. 833 934	14. 554 48	6. 857 253	11. 735 67
1981	2. 249 159	13. 7	3. 840 664	2. 896 898	7. 465 654	9. 629 735
1982	3. 633 677	14. 0	4. 285 893	5. 652 849	2. 439 024	8. 020 868
1983	0. 946 239	11. 3	3. 989 935	11. 044 9	8. 472 906	15. 057 73
1984	− 0. 908 48	17. 1	10. 496 6	17. 364 52	17. 151 07	33. 496 01
1985	0. 848 775	10. 7	8. 279 458	24. 500 11	8. 011 371	44. 717 82
1986	0. 398 33	8. 7	8. 012 327	16. 192 52	5. 407 345	15. 812 09
1987	1. 308 632	15. 9	4. 547 076	16. 891 85	6. 628 079	19. 379 65
1988	1. 850 741	19. 6	3. 632 952	25. 432 25	5. 726 45	28. 435 76
1989	3. 026 45	10. 4	− 1. 448 32	10. 487 01	1. 973 221	18. 694 69
1990	17. 122 65	18. 7	15. 698 06	6. 037 373	18. 264 39	8. 076 254
1991	0. 472 838	5. 5	1. 147 517	17. 943 87	3. 330 829	24. 602 13
1992	− 1. 020 51	9. 8	2. 425 972	28. 534 86	5. 816 772	27. 535 09
1993	− 2. 633 14	18. 7	4. 249 39	40. 642 18	8. 131 012	27. 340 51
1994	− 2. 791 93	37. 5	2. 318 744	36. 409 45	9. 546	35. 784 9
1995	− 2. 997 71	26. 8	2. 240 073	27. 774 33	8. 797 937	23. 478 08
1996	− 1. 998 31	15. 5	3. 500 479	17. 976 29	6. 202 607	16. 756 96
1997	0. 057 438	3. 0	2. 123 064	10. 959 21	2. 816 98	15. 698 65
1998	0. 967 279	2. 6	0. 320 3	3. 892 034	2. 322 049	13. 310 73
1999	1. 680 075	− 0. 3	− 1. 078 31	5. 203 013	1. 829 268	10. 768 24
2000	0. 768 844	1. 2	− 1. 230 13	11. 020 96	3. 217 912	14. 289 98
2001	1. 303 998	5. 6	0. 400 765	8. 684 748	2. 043 081	14. 588 17
2002	0. 977 734	4. 8	− 3. 095 06	8. 855 33	4. 261 42	12. 482 17
2003	− 0. 878 76	5. 1	1. 882 129	15. 844 26	3. 409 199	12. 236 39
2004	− 3. 494 23	23. 2	5. 243 516	18. 367 52	5. 511 486	15. 278 29
2005	− 3. 683 12	4. 7	6. 879 433	18. 213 1	3. 302 768	13. 741 32
2006	− 4. 147 78	7. 2	6. 309 445	18. 082 18	3. 546 338	15. 372 59
2007	− 3. 430 48	16. 9	7. 302 991	17. 660 86	1. 231 007	18. 097 08

资料来源:《中国统计年鉴》(2008 年)

九 2004 年中国 31 省份农村
劳动力非农转移规模与相关经济指标

地　区	失业率%（Y）	城镇第二三产业产值之和/亿元（X_1）	城镇固定资产投资额/亿元（X_2）	城镇经济活动人口/万人（X_3）	城镇单位使用农村劳动力年末人数/万人（X_4）
北京	1.3	5 964.74	2 333	730.1	81.94
天津	3.8	3 005.69	1 128.68	258	12.28
河北	4	7 107.2	2 441.98	672.4	40.64
山西	3.1	3 295.07	1 315.21	466.8	29.34
内蒙古	4.6	2 518.27	1 707.5	361.9	8.88
辽宁	6.5	5 873.58	2 580.28	937.9	43.24
吉林	4.2	2 553.32	1 059.35	472.8	5.49
黑龙江	4.5	4 144.81	1 316.97	712.9	8.54
上海	4.5	7 989.38	2 862.95	591.7	43.81
江苏	3.8	13 636.02	5 008.21	1 097.8	66.13
浙江	4.1	10 834.6	3 998.77	869.8	130.33
安徽	4.2	3 808.81	1 613.01	568.5	25.52
福建	4	4 967.09	1 594.54	520.5	131.92
江西	3.6	2 782.93	1 477.89	456.8	19.95
山东	3.4	13 211.29	5 418.55	1 227.8	92.65
河南	3.4	6 859.23	2 434.88	900.7	59.00
湖北	4.2	4 602.01	2 005.15	760.9	44.15
湖南	4.4	4 468.03	1 679.39	691.1	35.39
广东	2.7	17 616.03	5 029.44	1 407.3	206.44
广西	4.1	2 615.63	1 094.62	421.6	24.65
海南	3.4	520.14	291.02	121.2	4.14
重庆	4.1	2 264.76	1 400.58	344.7	32.49
四川	4.4	4 999.71	2 322.91	762.8	71.91
贵州	4.1	1 337.45	780.24	277.4	20.53
云南	4.3	2 474.16	1 112.97	383.3	25.64
西藏	4	176.04	162.36	30.3	1.11
陕西	3.8	2 787.73	1 378.46	477.7	18.52
甘肃	3.4	1 401.71	660.76	273.3	11.55
青海	3.9	405.4	272.74	82	1.71
宁夏	4.5	469.69	316.83	92.3	5.12
新疆	3.5	1 747.83	1 046.43	362.7	15.60

资料来源：《中国统计年鉴》（2005 年）

十　2005年中国31省份农村劳动力非农转移规模与相关经济指标

地　区	失业率/% （Y）	城镇第二三产 业产值之和 /亿元（X_1）	城镇固定资产 投资额/亿元 （X_2）	城镇经济活动 人口/万人 （X_3）	城镇单位使用农村 劳动力年末人数 /万人（X_4）
北京	2.1	2 595.41	6 788.32	746.9	88.75
天津	3.7	1 364	3 585.24	260.1	14.67
河北	3.9	3 307.77	8 593.04	689.1	42.70
山西	3	1 666.47	3 917.1	454.9	27.76
内蒙古	4.3	2 555.25	3 305.99	368	12.09
辽宁	5.6	3 666.52	7 126.6	925.5	42.89
吉林	4.2	1 581.26	2 994.66	441.8	6.05
黑龙江	4.4	1 581.22	4 826.9	708.2	9.77
上海		3 198.57	9 073.84	639.9	45.54
江苏	3.6	6 218.89	16 844.18	1256.8	82.33
浙江	3.7	4 784.68	12 545.01	933.3	172.85
安徽	4.4	2 126.69	4 408.63	573.3	25.47
福建	4	1 958.3	5 727.73	570.4	152.34
江西	3.5	1 902.66	3 329.39	491.5	23.20
山东	3.3	7 275.06	16 553.36	1 371.5	132.60
河南	3.4	3 461.23	8 695.41	943	61.08
湖北	4.3	2 387.41	5 438.01	796.1	51.02
湖南	4.3	2 203.95	5 237.19	724.8	47.80
广东	2.6	5 890.11	20 938.27	1 647.1	230.59
广西	4.2	1 480.92	3 163.25	446.2	27.54
海南	3.6	339.24	593.82	126.8	4.55
重庆	4.1	1 777.07	2 607.09	370.8	33.00
四川	4.6	2 991.77	5 903.97	836.3	79.45
贵州	4.2	899.33	1 610.12	293.8	26.23
云南	4.2	1 592.29	2 803.08	423.4	27.99
西藏	—	181.39	203.17	31.5	0.90
陕西	4.2	1 740.86	3 239.89	467.3	17.89
甘肃	3.3	786.05	1 625.92	272.6	11.47
青海	3.9	310.84	477.98	85.1	1.60
宁夏	4.5	381.99	534.02	92	5.08
新疆	3.9	1 210.01	2 094.2	371.5	17.91

资料来源：《中国统计年鉴》（2006年）

十一 2006年中国31省份农村劳动力非农转移规模与相关经济指标

地 区	失业率/% （Y）	城镇第二三产业产值之和/亿元（X_1）	城镇固定资产投资额/亿元（X_2）	城镇经济活动人口/万人（X_3）	城镇单位使用农村劳动力年末人数/万人（X_4）
北京	2	3 012.45	7 772.24	793.8	85.91
天津	3.6	1 678.98	4 240.92	264.3	15.89
河北	3.8	4 403.23	10 053.95	717.5	44.56
山西	3.2	2 055.69	4 475.77	470.1	32.24
内蒙古	4.1	3 264.86	4 141.86	383	12.79
辽宁	5.1	4 977.84	8 274.78	928.6	46.95
吉林	4.2	2 366.06	3 602.36	424.3	8.47
黑龙江	4.4	2 040.41	5 451.31	721.8	11.4
上海	4.4	3 497.48	10 272.57	643.3	48.62
江苏	3.4	7 479.6	20 100.07	1 442.1	117.58
浙江	3.5	5 429.28	14 817.42	1 107	217.58
安徽	4.2	3 050.15	5 120.07	572.1	28.8
福建	3.9	2 692.36	6 718.38	624.7	172.31
江西	3.6	2 375.39	3 884.39	529.4	26.83
山东	3.3	8 715.5	19 938.46	1 419.3	144.68
河南	3.5	4 840.8	10 446.05	977.2	73.86
湖北	4.2	3 038.49	6 440.91	816.4	61.86
湖南	4.3	2 718.44	6 236.66	736.1	48.73
广东	2.6	6 553.67	24 627.35	1 886	257.58
广西	4.2	1 947.81	3 796.03	469.9	29.67
海南	3.6	397	708.37	130.4	5.35
重庆	4	2 251.98	3 065.76	372.1	38.27
四川	4.5	3 927.37	7 042.33	873.7	88.07
贵州	4.1	1 052.79	1 888.83	300.3	25.55
云南	4.3	2 001.85	3 256.91	432.3	35.52
西藏	—	200.65	240.11	34.9	1.05
陕西	4	2 285.71	4 035.26	488.7	19.26
甘肃	3.6	923.92	1 943.35	279.1	12.44
青海	3.9	384.61	571.94	86.1	1.28
宁夏	4.3	438.73	631.22	100.3	4.42
新疆	3.9	1 418.01	2 517.46	381.7	17.76

资料来源：《中国统计年鉴》（2007年）

十二 2007年中国31省份农村劳动力非农转移规模与相关经济指标

地　区	失业率/% (Y)	城镇第二三产 业产值之和 /亿元（X_1）	城镇固定资产 投资额/亿元 （X_2）	城镇经济活动 人口/万人 （X_3）	城镇单位使用农村 劳动力年末人数 /万人（X_4）
北京市	1.84	3 597.289 6	9 252.06	808.697 4	97.9
天津	3.59	2 192.169 1	4 940.21	263.910 2	19.14
河北	3.83	5 690.313 2	11 904.78	749.953 3	43.9
山西	3.24	2 600.215 9	5 463.67	503.842 7	35.08
内蒙古	3.99	4 255.002 4	5 329.02	401.951 1	12.82
辽宁	4.28	6 576.047 4	9 890.09	962.166 6	46.96
吉林	3.92	3 340.189 1	4 500.89	419.263 1	8.19
黑龙江	4.26	2 591.692 1	6 149.62	741.926 7	12.28
上海	4.22	4 045.098 4	12 087.01	684.523 9	62.49
江苏	3.17	9 161.373	23 924.92	1 570.555 1	132.88
浙江	3.27	5 996.931 8	17 794.41	1 325.770 2	242.78
安徽	4.06	4 444.583 2	6 164	626.863 3	29.95
福建	3.89	3 829.017 2	8 247.02	688.109 5	184.77
江西	3.37	2 954.872 3	4 594.48	541.400 5	35.59
山东	3.21	10 153.561 8	23 456.77	1 447.78	146.66
河南	3.41	6 609.161 2	12 794.8	991.228 9	75.02
湖北	4.21	3 927.355 2	7 852.68	786.515 6	56.17
湖南	4.25	3 609.539 8	7 573.48	766.025 7	54.09
广东	2.51	7 368.686 7	29 388.83	2 093.695 7	285.38
广西	3.79	2 596.737 4	4 714.29	501.354 7	31.68
海南	3.49	472.767	862.21	150.940 3	4.51
重庆	3.98	2 937.069 5	3 640.12	425.353 2	40.14
四川	4.24	5 043.415 9	8 473.3	934.208 4	99.56
贵州	3.97	1 289.130 2	2 295.52	313.098 4	27.35
云南	4.18	2 443.791 1	3 903.96	518.329 7	57.65
西藏	—	230.827 1	287.3	41.241 9	0.78
陕西	4.02	3 168.819 6	4 873.16	501.347 8	21.05
甘肃	3.34	1 177.463 2	2 316.43	288.305 5	11.48
青海	3.75	443.690 7	700.2	90.66	2.11
宁夏	4.28	527.694 7	791.31	99.292 5	4.19
新疆	3.88	1 659.189 4	2 894.44	387.286 4	17.53

资料来源：《中国统计年鉴》（2007年）

十三 中国劳动力在三次产业就业人数及构成

年 份	第一产业		第二产业		第三产业	
	人数/万人	构成/%	人数/万人	构成/%	人数/万人	构成/%
1978	28 318	70.5	6 945	17.3	4 890	12.2
1979	28 634	69.8	7 214	17.6	5 177	12.6
1980	29 122	68.7	7 707	18.2	5 532	13.1
1981	29 777	68.1	8 003	18.3	5 945	13.6
1982	30 859	68.1	8 346	18.4	6 090	13.5
1983	31 151	67.1	8 679	18.7	6 606	14.2
1984	30 868	64	9 590	19.9	7 739	16.1
1985	31 130	62.4	10 384	20.8	8 359	16.8
1986	31 254	60.9	11 216	21.9	8 811	17.2
1987	31 663	60	11 726	22.2	9 395	17.8
1988	32 249	59.3	12 152	22.4	9 933	18.3
1989	33 225	60.1	11 976	21.6	10 129	18.3
1990	38 914	60.1	13 856	21.4	11 979	18.5
1991	39 098	59.7	14 015	21.4	12 378	18.9
1992	38 699	58.5	14 355	21.7	13 098	19.8
1993	37 680	56.4	14 965	22.4	14 163	21.2
1994	36 628	54.3	15 312	22.7	15 515	23
1995	35 530	52.2	15 655	23	16 880	24.8
1996	34 820	50.5	16 203	23.5	17 927	26
1997	34 840	49.9	16 547	23.7	18 432	26.4
1998	35 177	49.8	16 600	23.5	18 860	26.7
1999	35 768	50.1	16 421	23	19 205	26.9
2000	36 043	50	16 219	22.5	19 823	27.5
2001	36 513	50	16 284	22.3	20 228	27.7
2002	36 870	50	15 780	21.4	21 090	28.6
2003	36 546	49.1	16 077	21.6	21 809	29.3
2004	35 269	46.9	16 920	22.5	23 011	30.6
2005	33 970	44.8	18 084	23.8	23 771	31.4
2006	32 561	42.6	19 225	25.2	24 614	32.2
2007	31 444	40.8	20 629	26.8	24 917	32.4

注：1982～1989 年的数据根据 1990 年全国人口普查数据进行了调整；1990～2000 年的数据根据 2000 年全国人口普查数据进行了调整；2001～2004 年、2006 年和 2007 年数据为人口变动情况抽样调查推算数；2005 年数据为全国 1% 人口抽样调查推算数；其余年份为户籍统计数据

资料来源：《中国统计年鉴》（2008 年）

十四 我国三大产业产值构成及就业构成

年 份	第一产业		第二产业		第三产业	
	产值构成/%	就业构成/%	产值构成/%	就业构成/%	产值构成/%	就业构成/%
1988	28.2	59.3	47.9	22.4	23.9	18.3
1989	31.3	60.1	47.1	21.6	21.6	18.3
1990	30.2	60.1	48.2	21.4	21.6	18.5
1991	31.9	59.7	46.1	21.4	22.0	18.9
1992	33.4	58.5	44.8	21.7	21.8	19.8
1993	33.2	56.4	44.4	22.4	22.4	21.2
1994	32.1	54.3	43.1	22.7	24.8	23.0
1995	28.4	52.2	42.9	23.0	28.7	24.8
1996	27.2	50.5	43.7	23.5	29.1	26.0
1997	26.8	49.9	43.6	23.7	29.6	26.4
1998	25.7	49.8	43.8	23.5	30.5	26.7
1999	25.1	50.1	42.8	23.0	32.1	26.9
2000	27.1	50.0	41.3	22.5	31.6	27.5
2001	24.5	50.0	41.8	22.3	33.7	27.7
2002	21.8	50.0	43.4	21.4	34.8	28.6
2003	19.7	49.1	46.6	21.6	33.7	29.3
2004	19.8	46.9	46.6	22.5	33.6	30.6
2005	19.9	44.8	47.2	23.8	32.9	31.4
2006	19.7	42.6	47.5	25.0	32.8	32.2
2007	18.3	40.8	47.5	26.8	34.2	32.4

资料来源:《中国统计年鉴》(2008 年)

后　记

　　历尽磨难，苦尽甘来。本书是在博士论文的基础上完成的，几番易稿，仍有诸多不足，但毕竟是我多年努力得来的研究成果，其中也凝聚着导师的悉心教诲、亲人们的关爱以及同事、朋友的鼓励与帮助。在此，对所有关心和帮助过我的老师、家人、同学和朋友致以最诚挚的感谢！

　　首先我要感谢恩师易法海教授。在我的博士论文写作过程中，一直得到导师的悉心指导。从学位论文题目的确定、框架的设计、思路的明晰、文字的推敲到论文的审阅和定稿，始终倾注着导师的心血。在恩师的指导下，论文的各项工作得以顺利完成。导师不辞辛苦一遍又一遍地审阅和修改，使得论文质量得以提升，让我十分敬佩和感动。数年来，先生以严谨的治学态度、宽厚仁慈的长者情怀和不辞辛劳提携后学的积极乐观精神，为后生树立了学习的典范。感谢师母姜佩勋老师对我的关心与鼓励，在生活、学习诸多方面，师母嘘寒问暖，让我感到无比亲切，尤其是在本人身处人生逆境的时候。桃李不言，下自成蹊。我对导师和师母致以崇高的敬意和衷心的感谢。

　　本书的完成，还得益于许多专家学者的关心与帮助。感谢华中农业大学经济管理学院的李崇光教授、王雅鹏教授、张安录教授、冯中朝教授、蔡根女教授、祁春节教授、陶建平教授、周德翼教授、严奉宪教授、王红玲教授、张俊飚教授、刘颖教授等，他们渊博的学识、独到的见解和严谨的态度给予我巨大的帮助。特别感谢华中农业大学理学院汪晓银博士和龚梦硕士，他们在研究方法方面，给予我许多好的建议，使得本书在实证研究上更加严谨和完善。

　　感谢华中农业大学经济管理学院关桓达书记等领导，他们为学校教职员工提供了很好的发展平台，使我有机会、有条件从事科学研究。感谢我的同事给予的热忱鼓励和关照，他们是夏厚俊教授、肖枝洪博士、曾光博士、柳鹏程博士、马春艳博士、张红梅博士、马强硕士、宋金田博士、曹士龙硕士、李志平博士、秦臻博士、李志博士、李谷成博士等，特别是曾光博士，对本书提出许多宝贵的修改意见。同时要感谢同门学友朱再清博士、熊学萍博士、苏亚敏博士、李敏博士、李敬博士、黄勇博士、乔雯博士、金大凡硕士、龚玥硕士等，他们在本书的研究思路、数据处理以及学习生活等方面给予许多真诚的帮助。

感谢湖北劳动和社会保障厅的周腊元厅长，美国得克萨斯州奥斯丁大学的孙铭和教授，湖北国土资源厅的陈平博士，华中师范大学的刘嗣明教授，中国地质大学的邓宏赋教授，华中农业大学经济管理学院的王淅勤博士，武汉市39中学的蔡维佳老师，中南财政法大学的刘社军老师，武汉大学的宋元胜教授和刘德祥教授，华中农业大学的陈守文教授、李长健教授和蔡鹏博士，西澳大利亚大学的朱滨博士、澳大利亚莫纳什大学的刘珊博士以及好友 Olen Millen 等。他们都曾经对本书提出富有建设性的意见和建议，使得博士论文日臻完善。特别是与好友王淅勤博士和蔡维佳老师的多次交流与讨论，启发和拓展了我的思维，在论文修改阶段提出了大量有见地的建议和行之有效的研究方法，在此一并表示诚挚的谢意。

感谢华中师范大学的罗师孔教授，他是我本科阶段的老师，一直关心我的成长。在博士论文写作过程中，常为我提供最新的资料，使我的研究紧跟时代步伐。感谢我的学生陈平、龙贺兴、葛俊、贾彬、严文高、刘胜、赵正南、李京成、张晓山等，他们协助我进行问卷的统计和整理，并对论文进行反复的校对，感谢他们无私的帮助。

感谢我的哥哥、嫂子、三位姐姐、姐夫，他们一直帮助我照顾孩子和解决生活中的难题，他们一直尽心尽力地照顾年迈的母亲，让我能安心求学。特别感谢三姐黄丽阳、姐夫吕杰、侄儿吕学聪一家人在我求学期间对我的孩子无微不至的照顾。感谢我的儿子刘修民对我的理解和支持，他健康的成长和灿烂的笑容，使我消除劳顿，让我对未来满怀希望。读博期间我常常忽略了对母亲的照顾，以及对儿子的关心，他们却用爱和理解支持着我，使我顺利完成学业，他们的爱是我前进的不竭动力。

最后我要衷心地感谢我最挚爱的父母，感谢他们的养育之恩！父母恩情重于泰山，我一生无以回报。我的父亲生前酷爱学习，他一直非常关心我的成长，对我的研究也很感兴趣，常常敦促我不要懈怠，激励我不断进步。母亲一直是我的生活顾问，竭尽全力地支持和关心我。正是父母博大无私的爱和坚强有力的支持，让我克服重重困难，顺利完成博士学位论文。由于工作繁忙与家庭生活所累，我没能在父亲的有生之年完成博士学位论文，成为我终身的遗憾，希望这篇迟到的拙作可以告慰父亲的在天之灵，父亲那慈祥的双眼永远激励着我在新的起点上日新日进！

　　谁言寸草心，报得三春晖。谨以此文献给我的双亲，以及关心和帮助我的老师、亲人和朋友们！

黄宁阳

2011 年 11 月 4 日

于美国德州寓所